KB005402

무오리 해주 인서울 완성판

일러두기

- 각 에피소드별로 등장인물들은 가명으로 썼습니다. 에피소드에 따라 등장했던 인물이 뒤의 스토리에 다시 개입되는 상황이 있습니다.

- 페이퍼 드라마로, 실제 에피소드를 배경으로 했으나 극의 상황을 살리기 위해 스토리 전개에 따라 각색했습니다.

- 글의 맞춤법과 표기는 한글맞춤법을 최대한 따르되 대사의 그 느낌을 살리기 위해 작가의 입말 표현을 따른 부분이 있습니다.

- 대사나 지문에 등장하는 말줄임표 문장부호는 뉘앙스와 호흡의 양을 표현하는 작가의 의도에 따라 다양하게 표현했습니다.

무오리해주 인서울

완성판

장해주 지음

허밍버드
Hummingbird

사람이 세상을 살아가는 일이 인생이다.
사는 일이 삶이다.
그것을 흔히 드라마라 부른다.

저마다 자신의 스토리를 가지고 있다.
누구나 그 드라마의 주인공은 나 자신이다.

10대, 20대, 30대, 40대, 50대, 60대… 시간의 하프타임이 있다.
그 아름다운 일대기를 지금, 기록해보려고 한다.

2023년 기준, 세계 인구는 약 80억 명. 그중 대한민국 인구는 5,100만
여 명. 그 안에서 30대 인구 비율은 13퍼센트로 약 육백육십일만 오
천오백십일 명이 존재한다. 여기에서 다시 난다 긴다 하는 인물들은
0.00000000…1퍼센트 정도? 아마도.

서른N 살. 서른 즈음이 되면 좀 괜찮은 인생을 살고 있을 줄 알았다.
그런데 웬열- 여긴 어디? 나는 누구? 여전히 갈 길을 잃은 채 망망대해
에 떠서 표류 중이다. 그렇게 서른 막바지, 곧 마흔을 바라보는 '미운 오
리'가 되었다. 아니지. 미운 오리이긴 한가? 사실 모르겠다. 오리를 닮
은 꿩 같기도 하고 자세히 보면 닭을 닮은 것 같기도 한, 정체불명의 생
명체로 존재 중이다.
그렇게 저렇게 살아가던 어느 날이었다. 문득 거울 속에 비친 내 얼굴
을 보다가 그만 현타(현실 자각 타임)가 매섭게 뒤통수를 갈겼다.

'도대체 괜찮은 인생이 뭐야?'

오 리   표 류 기

월 몇천, 몇억의 자산가, 유명 작가, 고급 승용차, 적어도 방 세 칸짜리
의 인서울 아파트…? 아, 이건 후져도 너무 후진 거지. 그토록 찾아 헤맨
내 인생 행선지가 고작 이런 거라니. 근사하게까지는 아니더라도 좀 더
나답게 살고 싶었는데 말이다. 이렇게 표류만 하다 고독사로 죽기 딱
좋은 인생이 아닌가!

사전적 의미의 '청춘'을 보면 '새싹이 파랗게 돋아나는 봄철이라는 뜻
으로, 십 대 후반에서 이십 대에 걸치는 인생의 젊은 나이…' 됐고. 이건
어디까지나 '사전적 의미'니까. 아직 청춘이다.
서른의 끝자락에도 청춘은 있다. 뒤돌아볼 청춘이 있고, 되새길 청춘이
있고, 빛난 한때의 청춘과 앞으로 반짝일 청춘이 아직 남아 있다. 서른
막바지에 청춘을 논하면 안 된다는 법이 있나? 청춘을 돌아볼 수 있는
나이가 주름진 얼굴이어야만 한다는 법칙이 어디 있어?
30대의 하프타임. 당당하게 논해보려고 한다. 내 속에 저장되어 있는
스냅숏들을 거침없이, 과감하게 끌어내볼 것이다.

이 드라마는 그렇다.

사는 이야기. 살고, 살고, 또 살다가 사는 게 지쳐버린 이야기. 찌질하고 구질하고 궁상맞은 일상의 나열. 이쪽에서 잽! 저쪽에서 휘익- 원투, 원투! 날려대는 펀치를 하릴없이 맞고도 바보처럼 웃어대는 이야기. 쪼그라든 어깨가 더 말려 들어갈 틈 없이 굳어져 꼽추가 되어버린 사연들. 뒤로 자빠졌는데 코가 깨져버린, 재수가 더럽게 사나운, 운수 좋은 날의 이야기.

뭐 하나 아름답거나 곱거나 예쁜 것들은 개미 똥구멍만큼도 없다. 어쩌면 죄다 소각장에 태워버리고픈 것들이고, 흔적도 없이 깨끗하게 빨아 널고 싶은 것들이고.

그렇게 징글징글한 것들. 이 징글징글한 것들이 모여서 불협화음을 자아낼 것만 같은데, 또 대단히 그렇지가 않다. 이런 인생 한 컷 덕분에 웃을 수 있고 울 수도 있는. 사람이 사람답고 인생이 인생다울 수 있다는 걸 알게 한다.

그래서 절대 버릴 수 없는 나의 이야기들. 나의 한 시절, 나의 그날들.
내 인생 10할에서 2할 정도가 행복이라면, 8할은 불편하고 그럭저럭
애쓰다 만 것들. 너저분한 것들만 모았다. 태워버릴 것들만 담았다. 깨
끗하게 세탁해서 햇볕 쨍쨍한 날, 빨랫줄에 널고 싶은 것들만 올렸다.
그랬더니 진한 드라마가 됐다.
그렇게 잘 익은, 인생이 되었다.

이 드라마는 그렇다.
사는 이야기. 살고, 살고, 또 살다가 지쳐버린 이야기. 그리고 다시 살고
싶은 이야기. 그렇게 가슴 사무치도록 사랑스러운 이야기. 뜨끈하게 한
번 살아보고 싶은 이야기.

서른의 끝자락에서
장해주

해주 30대 여성 | 불

이 드라마의 유일한 주인공이다. '욱질'을 곧잘 하며 의도한 건 아니지만, 자신의 열정으로 다른 사람을 태워 죽일 때도 있다. 결국엔 자신도 태워버리기도 한다. 불같은 그녀와 달리, 그녀의 주변 사람들은 바람 같거나 물 같은 인물들이 많다.

그래서인지 그녀 안의 거센 불이 36.5도의 온기로 적정하게 잘 유지된다. 텐션이 상당히 높다. MBTI가 뭐냐고? 한번 맞혀보시길! 힌트는~ 똥꼬발랄, 돌아이라는 별명으로 불린다.

그녀의 인생 모토는 그렇다. 화를 잘 내지만, 사과도 잘할 줄 아는 사람. 잘 웃지만, 누군가를 위해 잘 울어줄 수 있는 사람. 말만 잘하는 바보가 되기보다 진정성이 있는 사람. '다정한 사람이 되자'다. 서걱거리는 모래바람만 모질게 불어대는 이 세계에서 작은 꽃이 되어보자고. 오늘도 열심히 자신 안의 불을 지펴 싹을 틔워내는 중이다. 이 싹이 어떤 날엔 꽃이 되기도, 또 어떤 날엔 가시가 되기도 하지만 그래도 괜찮다고 생각한다. 산다는 건, 사는 것 자체로 의미가 있고 가치가 되어 아름답게 반짝이기에.

그래서였을까. 그녀는 글을 쓰는 사람이 됐다. 사는, 그리고 살아가는 모든 시간들을 기록하는 사람이 됐다. 아픔을 글자에 담고, 슬픔을 문장으로 풀며 사랑한 모든 순간들을 한 컷, 한 씬으로 그러안는. 사람을 좋아하고, 사람이란 두 음절이 가지고 있는 뜻을 사랑하며 그 안에 담긴 '인생'이란 우주에 감사하자고.

인생의 찌질함은, 어쩌면 사람이란 우주가 가진 작은 티끌에 불과하지 않을까 생각한다. 그러다 보니 지난한 고통 속에 몸부림치던 날들도 어느 정도 사랑할 줄 알게 됐다. 아픔 속에도 나를 잃지 않는 길을 선택할 줄 아는 사람이 됐다. 그렇게, 누군가를 바라보는 시선에 쉬운 편견을 담지 않게 됐다.

그녀는 오늘도 생각한다. 삶을, 사랑하자고. 따뜻한 우주가 되자고.

민경　30대 여성 | 모닥불

해주의 30년 지기 친구. 온기가 부족한 누군가를 위해 타닥타닥– 제 마음을 태워 뜨끈하게 잘 지펴주는 모닥불 같은 사람. 대체로 따뜻한 인물이다. 그런데 잘못 건드리면 들불처럼 번지기도 하기에, 조심해야 한다.

지희 30대 여성 | 시냇물

해주와 열여덟 살 때부터 단짝 친구. 타오르는 불처럼, 파바바박! 속절없이 불꽃이 튀는 누군가의 곁에서 "방수우~"를 외치는 그녀. (특히 해주의 불꽃을 식히는 데 탁월하다) 대체로 모난 데 없이 잘 흐르고 잔잔하다.

연아 30대 여성 | 눈송이

떨어지는 하얀 눈송이처럼 깨끗하고 맑다. 겉으로 보기 엔 새침데기같이 보이지만 손에 닿자마자 녹아버리는 눈송이처럼, 누군가에게 잘 스며들 수 있는 캐릭터. 사람을 좋아하고 정이 많다.

수아 30대 여성 | 뭉게구름

해맑다. 해맑다. 그리고 또 해맑다. 그저 해맑은 캐릭터. 가끔 악의 없는 말 한마디로 사람 속을 뒤집기도 하지만, 결코 미워할 수 없는 존재. 파란 하늘에 자유롭게 떠다니는 뭉게구름처럼 머릿속이 마냥 파랗고 하얗다.

쌈 피 디 30대 남성 | 가을 태양

그저 좋은 볕인 줄 알고 선크림 없이 나갔는데 피부를 새카맣게 태워버린 가을 태양 같은 사람이다. 그러나 나쁘지만은 않다. 단풍을 붉게 물들이는 것 역시 가을볕이기에. 은근히 타오를 줄 알고 적당히 따뜻할 줄도 안다.

희정 60대 여성 | 라일락 나무

해주의 엄마. 가만히 등 대고 앉아 있으면 보랏빛 향기들이 코끝을 간질이며 기분 좋은 낮잠에 빠져들게 하는 이상한 힘이 있다. 사람의 마음과 기억에 은은한 향기를 전한다.

윤제 30대 남성 | 산들바람

해주의 첫째 동생. 막힌 데 없이 시원시원하고 가벼운 농담으로 적당히 유쾌할 줄도 안다. 대체로 주변에 활력 넘치는 에너지를 전한다. 하지만 내 가족을 건드리면 토네이도급의 파괴력이 어마무시한 회오리바람을 일으킨다.

재성 30대 남성 | 소나기

해주의 둘째 동생. 가뭄이 깃든 땅에 한차례 쏟아지는
소나기처럼, 반갑다. 갈증을 해결해주는 힘이 있다.

그 외 인물들

현진, 선미, 희진 30대 여성
해주의 대학 동기

설란 40대 여성
해주의 선배 작가

승민 30대 남성
해주의 활력소가 되어주는 단골 카페 매니저

S#   같은 장소에서 행동, 대사, 사건이 나타나는 장면(Scene)을 의미한다.

E   효과음(Effect)을 뜻하며 보통 등장인물은 보이지 않고 소리만 나는 경우에 사용한다.

N   내레이션(Narration)을 뜻하며 등장인물 사이에 오가는 대사가 아닌 독백을 의미한다.

F   필터(Filter)를 뜻하며, 전화기를 통해 들려오는 대사나 마음속으로 하는 이야기를 표현할 때 사용한다.

OL   두 사람이나 여러 사람이 대화할 때 한 사람의 대사가 끝나기 전에 상대방의 대사가 먼저 나와 대사가 서로 맞물리고 겹치는 것을 뜻한다.

ON   내레이션이 끝나고 대사가 시작된다는 의미로 사용한다.

몽타주   따로따로 편집된 장면들을 짧게 끊어서 연결해 하나의 긴밀하고도 새로운 내용으로 만드는 편집 기법을 의미한다.

인서트   장면의 특정 동작이나 상황을 강조하기 위해 삽입한 장면으로, 이 장면을 삽입함으로써 상황이 명확해지고 스토리가 강조되는 효과가 있다.

점프컷   연속성이 없는 장면을 연결해 급격한 장면 전환 효과를 줄 때 사용한다.

플래시백 장면의 순간적인 변화를 연속으로 보여주는 기법으로 추억이나 회상 등 주로 과거의 중요한 기억으로 되돌아갈 때 쓰인다.

플래시컷 장면과 장면 사이에 넣은 인서트로 빠르게 움직이는 화면이다. 화면의 속도를 증대시키거나 시각적인 충격 효과를 창출하기 위해 사용된다.

Episode 1

지나간 것은
지나간 대로

오랜 친구 사이인 해주와 수아. 어느 초여름날, 거리를 걷던 중 수아가 느닷없이 해주의 구 남친 이야기를 꺼낸다. 해주는 수아의 이야기가 왠지 불편하기만 하다. 해주에게 있어 지난 사랑이란, 그저 쓰레기 아니면 멍멍이 자식이었으니까. 그런데 친구라는 애는 남의 속도 모르고, 마음도 모르고 계속해서 해주의 쓰라린 부분만 톡톡 터치한다. 때린 데만 때리고 또 때리는 것처럼.

그래서 해주는 가끔 헷갈린다. 수아가 멍청한 척을 하는 천재인지, 아니면 진짜 눈치가 없는 바보인 건지.

S#1. 가로수길 (낮)

초여름. 가로수들마다 초록빛 순이 돋아 있고, 그 위로 햇볕이 내리쬔
다. 햇빛에 반사된 순들이 눈부시게 반짝이고. 그 아래로 해주와 수아,
아이스크림콘 먹으며 한가로운 거리를 나란히 거닐고 있다.

수아   날씨 한번 미치게 좋다. 이런 날은…. (하다가 입 닫는다)

해주   (심드렁) 이런 날은 뭐.

수아   아니~ (너) 말고 남자랑 걸어야 하는데.

해주   (마침 건너편에 혼자 걷는 남자 보인다) 저기.

수아   (?)

해주   (건너편 턱짓) 빨리 가봐.

수아   야!

해주   (건조) 왜. 그렇게 소리 안 질러도 다 들려.

수아   진짜 짜증 나.

해주   (그러게 질 싸움에 왜 덤벼‥ 픽-)

S#2. 가로수길 일각 (낮)

해주, 아무 표정 없이 아이스크림 먹으며 앞만 보며 걷고. 그 옆에 수
아, "저기 또 뭐가 생겼네", "어머! 저 빵집 여기에도 들어왔구나?" 둘러
보며 연신 조잘조잘댄다. 그러다 수아, 갑자기 우뚝 걸음 멈춰 선다.

해주   (수아 본다) 왜.

수아   이맘때였나?

해주   (?) 갑자기 뭔 소리야.

수아   작년인가? 그 남자랑 헤어진 거.

해주   (뭐래‥ 황당하고)

수아   아 왜 그… 있잖아.

해주   아. 왜. 그. 내 구 남친을! 니가 왜. ((N) 그게 언제 적인데…)
         (떨떠름한 표정 위로 (ON)) 더워. 빨리 걸어.

대수롭지 않게 다시 걷는 수아를 슬쩍 흘겨보는 해주.
'저거는 바보인 척하는 거야, 진짜 눈치가 없는 거야?' 미간 살짝 구긴
채 따라 걷는다.

수아   너 그 남자랑 헤어지고 되게 힘들어했는데. (아이스크림
         날름)

해주   (이게 진짜‥ / 슬쩍 뾰족) 이별하고 안 힘든 연애도 있냐?

수아   아니 유독 힘들어했지, 니가.

해주   (슬쩍 날 선) 그만하지? ((N) 저 주둥이를 그냥‥!)

수아   (별생각 없이) 너 구 남친 만날 때, 완전 괜찮은 남자가 막
         대시하고 그랬잖아. 그 남자나 만났어야 했어. 괜히 시간
         낭비에 마음고생만 오지게 하고. (아이스크림 날름)

해주, 날름날름 아이스크림 먹는 수아 모습이 왠지 약 올리는 것 같고 짜증이 확 솟구친다.

해주   (먹던 아이스크림을 옆에 보이는 쓰레기봉투에 휙- 버린다)

수아   아깝게!! 왜 버려?

해주   (뾰족) 아까우면 다시 주워줄까? 먹을래?

수아   아‥ 이 또라이 진짜.

해주   니가 말한 내 구 남친, 걔가 (아이스크림 향해 턱짓) 저거랑 똑같아 나한테는.

수아   (벙찐)

해주   어떻게, 내 거지 같은 기억까지 니가 고스란히 다 먹어 치워줄래?

수아   야!!

해주   (OL) 난 하나도 안 아까워. 지나간 그놈도, 저 아이스크림도. 나도 안 아까운 걸, 니가 왜 아까워하는데.

수아   뭘 또 이렇게까지 시리어스해!

해주   (이 시리어스 상황을 누가 만든 건데‥ 짜증 난다)

해주, 쌩하니 수아 지나쳐 걷는다. 수아, 해주 뒤통수에 대고 "아오‥!" 한 대 쥐어박을 듯하다 뒤따라 걷는.

해주, 신경질적으로 걸으며‥ '난데없이 그 거지 같은 연애사는 들쑤시고 난리야?' 정수리 위로 내리쬐는 햇볕 올려다보며 인상 팍 구기고.

해주(N)	이 아름다운 계절에, 아름답지도 않은 그놈 애긴 꺼내서‥ 사람 속을 후벼 파야 직성이 풀리지.
수아	(해주 뒤통수에 대고) 진짜 유별나네. 유별나!
해주	(걸음 툭 멈추고 / 홱 돌아본다) 좋냐?
수아	뭐가.
해주	신나서 깨춤 추는 거 같아 너. 그런 사람들이 꼭 있지. 남이야 아파 죽든가 말든가 걱정하는 척, 위로하는 척하면서 뒤에서는 내심 재밌어하는 거.
수아	비약이 너무 심하잖아!
해주	일부러 그러는 게 아니면 눈치가 대장 안에 들어가 있는 거네.
수아	(어이없고) 뭐?
해주	왜 자꾸 후벼 파고 난린데.
수아	야. 막말로 그게 언제 적 일인데. 니가 아픈지 안 아픈지 말이라도 해줬어? 그걸 내가 어떻게 알아! 생각나서 말할 수도 있는 거 아니야?
해주	생각나서 할 ㅁ…. (하다가 말을 말자, 하고 돌아서 다시 걸으며 흥얼 / 수아 들으라는 듯) 지나간 것은~ 지나간 대로, 그런 의미가 있죠.
수아	(해주 옆으로 걸으며) 뭐냐. 지금 돌려 까기 하는 거야?
해주	알아듣네?
수아	(하!) 얄미운 년!

해주   (적반하장도 유분수지!) 밉상인 년!

S#3.   갈림길 앞

갈림길 나오면 오른쪽으로 해주가, 왼쪽으로 수아가 각각 찢어져 뒤도
안 돌아보고 걸어간다.

S#4.   해주의 작업실 + 수아의 회사 탕비실 (낮)

그렇게 며칠 후.

책상, 의자, 오크톤의 책장, 사이사이 꽂힌 책들 보이고, 대체로 소담한
분위기의 작업실이다. 해주, 책상 앞에 앉아 핸드폰 화면 가만히 내려
다보고 있다. 핸드폰 화면에 '수아' 이름 떠 있고. '걸어 말아…' 하다가
얕은 한숨 뱉는다. '됐다 말아…' 책상 위로 핸드폰 툭 던져두고 의자만
빙그르 돌린다. 그러다 '이게 뭐라고. 별것도 아닌데. 다 지난 일에 아
직도 펄럭이는 마음이라니… 이럴 일이냐?' 하며 자조 섞인 픽- 핸드폰
힐끔 보고 다시 집어 드는 해주, 수아에게 전화 거는. 수아는 회사 탕비
실쯤에서 통화 중이다.

수아   (퉁명) 왜.

해주   내일 뭐 해.

수아   (뚱) 별거 없는데?

해주	집으로 와. 청국장이나 먹게.
수아	**인서트》** (얼굴에 손부채질) 참 나. 이 상황에 청국장이란다. 어휴.
해주	(심드렁) 뭐. 왜. 이런 상황에 청국장이 아니면, 어떤 상황이어야 청국장인데.
수아	**인서트》** (아이스커피 타는) 청국장은 겨울이고, 지금 초여름이거든?
해주	아무도 안 먹을 거 같고, 아무도 안 찾을 거 같은 계절에 먹어야 맛이 더 깊다.
수아	뭐래. 진짜 뜬금없어.
해주	하루 이틀이냐.
수아	**인서트》** (절레절레) 넌 가만 보면 지구인이 아닌 거 같아. 가끔 무슨 생각을 하고 사는지 진짜 모르겠어. (아이스커피 얼음 아그작)
해주	(그것도) 어제오늘 일 아니고. 내일 퇴근하면 바로 텨와.
수아	알았어!

해주, 끊긴 핸드폰 화면 뚱하게 쳐다보며 얕은 한숨.

해주	(자조 섞인) 이런 게 뭐가 이쁘다고 밥까지 해대냐‥ 속도 없지. (절레절레)

S#5.   해주의 주방 (밤)

가스레인지 위, 뚝배기에 보글보글 끓고 있는 청국장.

해주, 썰어둔 두부 살포시 얹는다. 앞치마에 물기 있는 손 툭툭 닦는다.

시계 한 번 보고 식탁 쪽으로 간다. 식탁 위 핸드폰 집어 들고 수아에

게 톡메시지 보내는 해주.

해주　　　[어디야.]

수아　　　[다 왔어.]

해주　　　[빨리 와. 배고파.]

시간 경과 »

식탁 위에 계란말이, 배추김치, 멸치볶음 등 정갈한 반찬 몇 놓여 있다.

해주, 청국장 뚝배기 조심조심 들고 와 냄비 받침대 위에 내려놓는다.

수아, 식탁 앞에 앉으며 손부채로 "오~ 냄새 죽인다" 청국장 냄새 맡는

다. 해주, 피식 웃으며 수아 맞은편에 앉는다. 누가 먼저랄 것도 없이

숟가락 부딪쳐가며 청국장을 퍼서 밥에 석석 비벼 먹는 두 사람.

수아　　　(먹고) 맛있다!

해주　　　(픽) 이 계절에 먹는 게 더 좋다니까. (먹는)

수아　　　(뭔가 생각났다) 아. 너 구 남친이 어디 청국장 맛집 알려주
　　　　　　　지 않았냐?

해주   (수아 밥그릇 뺏는다 / 정색) 넌 먹을 자격이 없어. 처먹지 마.

수아   (두 손 모아 싹싹) 잘못했어!! 잘못했습니다 언니! 제발….

해주   다신 그 얘기 안 꺼내는 거다?

수아   (재빨리 고개 끄덕끄덕)

해주   (밥그릇 다시 수아 앞에 놔준다)

말없이 밥 먹는 것에만 집중하는 해주, 수아.

해주(N)   지나간 것은 지나간 대로. 애써 잘 떠나보낸 과거를 굳이
          들추는 것은 긁어 부스럼을 만드는 행위. 그깟 과거 따위.
          그런 건 과거 속에만 존재하는 그들에게 쿨하게 줘버리
          자. 지난 것 때문에 내 현재, 미래가 위태로울 수 있으니
          까. 그러므로 흘러간 것에 미련 두지 말기.

▶ 주요 장면 리플레이

Episode 2

미칠 땐 확실하게,
신선하게

해주가 방송작가 6년 차 생방송을 하던 시절. 해주와 쌈 피디는 같은 방송 코너를 만드는 짝꿍인데, 쌈 피디는 분 단위로 작가를 쪼아대는 못된 습성이 있다. 이를테면 자신은 프로그램을 잘하기 위해서라고 하지만, 재주는 곰이 넘고 돈은 왕 서방이 챙기는 격이다. 어느 날 혈기가 욱! 올라온 해주는 쌈 피디를 들이받기로 결심하는데.

S#1.　방송국 회의실 (아침)

피곤한 몰골(떡 진 머리, 흐리멍덩한 눈동자, 생기 없는 표정)의 피디와 작가들, 큰 테이블에 주욱 둘러앉아 있고. 다들 '제발 빨리 끝나라…' 하는 얼굴들이다. 그 사이로, 해주도 피곤에 절은 모습. 해주 맞은편으로 앉은 쌈 피디, 어쩐지 쌩쌩하고 싱글벙글이다.

해주, 그런 쌈 피디 떨떠름하게 슬쩍 보다 시선 부장 쪽으로. 몰골 엉망인 피디와 작가의 상석으로 말끔한 차림의 방송국 부장 앉아 있다.

부장　　　이번 주도 수고 많았다, 다들. 생방 준비한다고 매주 밤샘에 시청률에 진짜 고생이 많다. (피디, 작가 시선으로 훑는) 오늘 ○○ 코너 피디, 작가가…. (하는데)

쌈 피디　(기다렸다는 듯) 접니다!

해주　　　(슬쩍 미간 구겨진다)

부장　　　어 그래. 내일 시청률 봐야 알겠지만, 어쨌든 지금 금요팀이 3주째 1위인 건 알지? 한번 잡자!

일동　　　(기어들어 가는 목소리) 네….

쌈 피디　(으쓱) 걱정 붙들어 매십쇼!

부장　　　씩씩해서 좋네! (기분 좋고)

해주(N)　(어이없고) 아‥ 빡쳐.

부장　　　그럼 다들 피곤할 텐데, 여기까지 하자!

일동　　　수고하셨습니다!

피디, 작가, 기다렸단 듯이 우르르 자리에서 일어난다.

S#2.　방송국 야외 휴게 장소

작가1·2, 담배 찾아서 입에 물고 불붙이려는데- 해주, 그 옆에서 탄산수 벌컥벌컥 들이킨다.

작가1　(해주 눈치 보며) 언니‥ 괜찮으세요?

해주　(건조) 어.

작가2　구성회의 때 자기가 의견 다 낸 거 아니었어? (주변 잠깐 살피고, 슬쩍 다그치듯) 아까 부장 있을 때 말 좀 하지.

해주　(딸랑딸랑 손 흔들며) 부장님~ 걱정일랑 붙들어 매십쇼~ 이렇게? (자조 섞인 픽-)

작가2　(담배 피려다) 그러다 쪽박 차지 말고, 제대로 한 방 먹이던가.

작가1　맞아요! 맨날 피디가 다 한 줄 알잖아요 부장님은. 작가가 피디한테 묻어가는 것처럼‥ 진짜 짜증 나요.

해주　(가만히 생각하다가 다 마신 탄산수병 쓰레기통에 휙 던지고 일어난다)

S#3.   몽타주

1. 제작사 사무실 (낮)

오후 1시 20분. 해주의 자리로 다급히 오는 쌈 피디.

쌈 피디   작가님! 출연 섭외 어떻게 될 거 같아?

해주(N)   저기, 2분 전에 아이템 컨펌이 떨어졌거든?

2. 제작사 회의실 (낮)

오후 2시 30분. 회의실에 피디와 작가들 주르륵 앉아 있고.

팀장   이번 주도 시청률 좋아. 이대로만 가자고. (메인작가 보며)
      뭐 하실 말씀?

메인작가   (시청률 표 흔든다) 다들 확인했지? 이번 주에도 ○○ 코너
          에서 (시청률) 받아서 올라가니까 뒤 코너들은 탄력 쭉쭉
          붙었네. 고생했어~

쌈 피디   (너스레 떨며) 그까이 꺼 뭐~

해주(N)   그 아이템 하기 싫다고 발광을 할 때는 언제고! 저놈의
          주리를 매우 틀어라!!

3. 화장실 앞 (낮)

오후 3시 45분. 화장실에서 나오는 해주, 그 앞에 쌈 피디 서 있다.
화들짝 놀라는 해주.

쌈 피디   작가님! 현장에서 뭐 더 뽑아 먹을 그림 없을까?

해주(N)   똥 좀 싸자! 이 변태 같은 놈아!

4. 거리 일각 (밤)

지친 얼굴로 터벅터벅 걷고 있는 해주. 지잉- 핸드폰 진동 울린다. 확인하면 '쌈 피디' 톡메시지다. [작가님! 이동 시간 때문에 그러는데, 촬영 일정 좀 바꿉시다!]

해주   아니‥ 이게 쉬운 게 아니거든?!

신경질적으로 핸드폰 화면 노려보는 해주.

해주   (훅- 앞머리 불어 넘기며 하늘 본다) 하‥ 이 쌈 싸 먹을 피디
          놈‥ 그냥 확! (죽여버리까‥)

S#4.   지하철 안 (밤)

사람들이 제법 빽빽하게 들어찬 지하철 안. 사람들 사이로 해주, 흔들흔들 휘청이다 머리 위 손잡이를 턱 잡는다. 해주 앞에 앉은 남자 내리기 위해 일어서고. 해주, '살았다' 하는 표정으로 앉으려는데- 옆에 있던 웬 여자가 휙 앉아버린다.

해주(N)   (멍하니 여자 보다가 얕은 한숨) 어딜 가나 밉상은 꼭 있다. 내
           속을 하루에 열두 번도 더 뒤집는 그놈처럼. 작가들 기피
           대상 1호 쌈 피디는 한마디로 그랬다. 어째 말투부터 생
           김새까지 전형적으로 재수가 없는 타입.

해주, 쌈 피디 얼굴을 털어내려는 듯 고개 흔든다.

S#5.   제작사 사무실 (낮)

각자의 자리에서 열일하고 있는 작가들.
"네, 안녕하세요 어머님~ 여기 △△△방송국인데요" 섭외 전화 소리,
"그럼 언제부터 그 일을 시작하신 거예요?" 취재 전화 소리 들리고. 옆
에서 다다다다- 노트북 자판 미친 듯이 두들기는 작가도 보이고. 그 곁
으로 해주도 노트북 화면 보며 자료 서치하고 있다. 그때, 단체 대화창
알림 뜬다.

팀장   [방송도 잘 끝났고! 오늘 회식 콜?]

[네~], [넵], [넹], [오키요] 등 단체 대화창에 영혼 없는 리액션 답변들 주
르륵 올라온다.

S#6.   고깃집 (밤)

작가와 피디, 서로 섞여 앉아 있고. 코너 짝꿍 피디, 작가끼리 웃으며 이야기하는 모습 보이고. 메인작가, 팀장은 자기들끼리 되게 심각하다. 해주, 맞은편에 앉은 쌈 피디를 떨떠름한 표정으로 흘겨보며 앞에 놓인 소주잔 들고 홀짝 마신다. 쌈 피디, 옆에 앉은 피디와 뭐가 그렇게 재미있는지 킬킬 웃다가 해주의 싸늘한 시선 느낀다. '왜 저러지?' 갸웃하면서 해주의 빈 잔 채워주고. 해주, 쌈 피디가 잔 채우자마자 또 홀짝 마시고 슬쩍 노려보는데- 쌈 피디, "천천히 마셔" 하면서 다시 따라준다. 해주, 대꾸 안 하고 잔 들어서 마시려는 그때, "짠!" 하며 잔 부딪혀오는 쌈 피디. 해주, '뭐 하자는 시츄에이션이야…' 쌈 피디가 부딪힌 잔을 떨떠름하게 본다.

쌈 피디   작가님, 무슨 일 있어?
해주(N)   너 때문이다 새끼야.

해주, 대꾸 안 하고 그대로 소주 털어 넣는다.

쌈 피디   (말하기 싫음 말고) 나 작가님 책임 안 진다. 그러니까 적당
          히 드셔.
해주(N)   (어이없다) 재수 없는 놈.

시간 경과 »

작가, 피디들 하나둘 일어선다. 거나하게 취기가 올라 있는 해주.

쌈 피디   갑시다!

해주(N)   내가 오늘 너 꼭 멕일 거야‥. (표정 위로 (ON) 딸꾹)

쌈 피디 먼저 일어서서 나가면, 해주도 살짝 비틀하면서 뒤따라 나
간다.

S#7.   거리 일각

택시 기다리고 있는 쌈 피디. 해주, 비틀하면서 그 옆에 가서 선다.

해주   (쌈 피디 어깨 툭툭)

쌈 피디   (돌아본다 / 얘 영 상태 안 좋은데‥) 작가님 괜찮아?

해주   안, 괜찮아. (살짝 비틀)

쌈 피디, "어이쿠!" 재빨리 해주 팔 살짝 잡아 부축한다.

해주, '왜 친절한 척이야‥' 쌈 피디한테 잡힌 팔 가만히 내려다본다.

쌈 피디   (어휴) 내 이럴 줄 알았다. 그러니까 천천히 마시‥. (하
          는데)

해주	((OL) 취했다) 솔직히, 나 마음에 안 들, 죠?
쌈 피디	(갑자기 뭔 소리야) 진짜 많이 취했네. 택시 먼저 타ㄱ…. (하는데)
해주	(쌈 피디한테 잡힌 팔 홱 빼고 벌러덩, 그 자리에 드러눕는다)
쌈 피디	(!!! / 뭐 하는 거야?!) 빨리 일어나!
해주	(누워서 쌈 피디 올려다보며 픽-) 싫은데?
쌈 피디	버리고 간다?
해주	재수 없어.
쌈 피디	(어이없다) 뭐라고요?
해주	쌈 싸 먹을 피디 놈아! (고래고래) 왜 맨날 작가만 (딸꾹) 괴롭히냐!!

쌈 피디, 난감한 얼굴로 주변 두리번- 지나가는 행인들 힐끗힐끗 이쪽 쳐다본다. 쌈 피디, 다급히 해주 쪽으로-

쌈 피디	(해주 앞에 쪼그리고 앉아 소근) 진짜 사람 쪽팔리게 이럴 거야?
해주	(피식) 쪽이, 팔리냐? 나는 팔릴 쪽도 (딸꾹) 없다 이제. 니가 맨날 다 해먹어서어….
쌈 피디	(애 왜 이래 진짜…) 왜 이러는데. 그리고 내가 뭘 해먹어 먹긴.
해주	좋, 냐? 매번 말이야. 어? 작가를 개… 똥무시를 하고. (딸

꾹) 니가 그렇게 잘, 났냐? 그래봤자, 피디 나부랭이 주
제에.

쌈 피디   (미치겠고) 그러니까 지금 나 때문이라는 거지? 이러는 게.

해주   그럼 너지, 누구야아…! (딸꾹)

지나가던 행인1(남), 슬쩍 다가오면서 "좀 도와드릴까요…?" 해주 힐끗
본다. 쌈 피디, 어색한 웃음으로 "아하하… 아니에요. 가던 길 가셔도
돼요. 네네, 가세요. 감사합니다" 하면, 행인1(남) 살짝 갸웃하며 지나
간다.

쌈 피디   (아씨, 환장하겠다) 진짜 안 일어날 거야?

해주   지금 막 미치겠지? (흐흐흐)

쌈 피디   (진짜 가지가지 하네… 하다가 일단 달래고 보자 싶고) 말로 합시
다. 어? 어디 가서 한잔 더 할까?

해주   싫어.

쌈 피디   아니… 뭐가 문제냐고. 아니다. 그래! 내가 잘못했어. 그게
뭐든! 내가 다 잘못했어. 사과할게!

해주   지랄, 하네 (픽- 하늘 본다) 여기 누워 있으니까 되, 게 평화
롭다. 그냥 되게 좋, 으네. (딸꾹)

쌈 피디   (똥 밟았네…) 작가, 지금 제대로 진상이야.

해주   (픽) 넌 개진상이야.

쌈 피디   (하아… 딱 돌겠다) 알았어 알았어. 나 똥이야 똥. 그러니까

일어납시다, 어? 입 돌아가!

해주　　그럼 출근 안 하는 거지. (딸꾹) 잘.나.신. 피디 나부랭이께
　　　　서 다- 해 처드셔. 쌈을 싸 먹, 던가.

쌈 피디　(하아…) 불만 있음 말로 하자고. 어? (제발) 좀 봐주세요.
　　　　장 작가님!

해주　　(옆자리 톡톡) 그럼 여기 한번 누, 워보던가. (딸꾹) 그럼 봐
　　　　줄게. (게슴츠레 웃는)

쌈 피디　(어이없고 황당하고. 이런 미친X, 돌아이… 눈으로 오만가지 욕 퍼
　　　　붓는)

해주　　싫, 어? 그럼 나 노래 불러야지. (노래 시작하려는데)

쌈 피디　(에라 모르겠다 하며 재빨리 해주 옆에 눕는) 눕는다 누워!

쌈 피디, '나는 누구? 여긴 어디?' 내가 지금 이 길바닥에서 뭐 하는 짓
인지 알 수도 없고 알기도 싫고 몹시 괴롭고 쪽팔린다.
그러거나 말거나 해주, "뮤지익- 큐!" 하면 쌈 피디, 재빨리 팔 뻗어 손
으로 해주 입을 터억 틀어막는다. 쌈 피디 손 떼려고 바르작대는 해
주고.

해주(N)　오늘 괴로운 일은 오늘로 끝내고. 내일 괴로운 일은 내일
　　　　생각하면 그만이다. 때문에 지금 나의 이 미친 행동으로
　　　　인한 여파를 미리부터 걱정할 필요가 없다.

해주, 쌈 피디 손 떼고 그대로 팔 흔들면서 손담비의 〈미쳤어〉를 부르기 시작한다.

해주(N) 미친X, 돌은 자가 되면 좀 어떤가. 그게 뭐 대수라고. 뭐 그리 대단한 일이라고. 그리고 이 정도면 곱게 미친 거 아닌가? (아닐 수도‥)

▶ 에필로그

S#8. 편집실 (낮)

해주와 쌈 피디 사이에 흐르는 공기가 어쩐지 영 어색하고 뻘쭘하다.
쌈 피디, 편집하는 손 놀리며 화면에 집중하고 있다. 힐끗힐끗 쌈 피디 옆얼굴 보다가 펼쳐놓은 노트북 화면에 한글 파일 여는 해주고.
쌈 피디, 슬쩍 해주 쪽 보다가 해주가 시선 돌리면 재빨리 다시 편집 화면에 집중한다. 그러다 편집하던 손 점점 느려지는 쌈 피디.

쌈 피디 (흘끗, 해주 눈치 보다가 툭) 작가님.
해주   (괜스레 퉁명) 왜요.
쌈 피디 신선, 했어요.
해주   뭐가요?
쌈 피디 작가님 때문에 하나 알았지. 사람이 이렇게 후레시하게 미친X이 될 수도 있구나 같은?

해주   (뭐야‥) 지금 나 놀리는 거예요?

쌈 피디   (으쓱) 진심인데. 보통은 뒤에서 씹거나 덤벼드는 게 일반
         인데. 작가님은 그냥 혼자 미친X 되고 말잖아요.

해주   (뭐지, 이 반응은‥)

쌈 피디   그리고.

해주   (또 뭐‥)

쌈 피디   나 작가님 마음에 드는데? (픽- 아무 일도 없다는 듯 편집 화
         면 보며 손 놀린다)

해주, 응? 뭔 개소리야‥ 싶은데-

플래시컷 »
거리 일각. (S#7)
해주, 취한 얼굴로 쌈 피디 보면서 "솔직히, 나 마음에 안 들, 죠?"

다시 현재 »
해주, 지난밤에 했던 말 생각나서 픽-

해주(N)   미칠 땐 그저 확실하게, 그리고 신선하게. 세상을 사는 게
         다 그런 거다.

해주와 쌈 피디, 편집 화면 보면서 서로 의견 나눈다. "여기 이 컷은 어때요?", "그거보다는 조금 전 컷이 나은 거 같은데·· 나레(내레이션) 쓸 때 찰떡이야" 조금 전보다 부드러운 분위기 흐른다.

해주(N) 남의 눈치 보느라 너무나도 고고한 척만 하거나, 고상한 척만 한다거나. 그래서 인간이, 인간다운 매력이 없거나. 뭐니 뭐니 해도 사람은 사람다운 게 최고라는 생각.
좀 미쳐보면 안다. 이 세계가 조금은 반짝이고 있다는 걸.

주요 장면 리플레이

방송을 만든다는 건 세상에서 가장 미련한, 미친 짓일 수 있다.
단 7분짜리 생방송을 위해 7일을 투자하는 사람들이니까.
아이템을 선정하고 취재를 하고, 밤을 새우며 촬영하고 편집하며…
심장이 졸아드는 일을 기어코 해내고야 만다.
우리의 방송을 보는 단 한 명의 시청자를 위해.

지금이 아니면,
다음은 없다

▶ 이야기의 배경

해주와 지희는 20년 지기 친구다. 올해는 유독 봄비가 일찍 온 탓에 꽃이 다 떨어지기 전, 꽃구경을 가기로 한다. 어느 놀이공원. 봄밤에 펼쳐진 봄꽃의 향연에 푹 빠진 해주와 지희. 그리고 문득, 해주는 망설이다 놓친 계절과 시간을 떠올리며 다짐한다. 다시는 놓치지 말자고. 과거에는 서로가 사는 게 바빠서, 또는 오늘이 아니어도 '다음'이 있다고 생각했으므로. 그러나 놓아버린 시간은 다시는 내 것이 될 수 없다. 그러므로 '앞으로' 말고 '지금'을 살자고, 새기는 오늘이다.

S#1.   놀이공원 (밤)

새초롬한 달빛 아래, 흐드러지게 핀 벚꽃들이 달빛을 머금고 있다.

달빛 담은 벚꽃들 사이로, 세 살배기 아이 목말 태운 젊은 아빠와 그
옆으로 빈 유모차 끌고 가는 젊은 엄마, 행복한 가족들 보이고. 교복 입
은 고등학생들 삼삼오오 모여 까르륵 웃으며 사진 찍는다. 벚나무 아
래 선 여친에게 "여기 봐봐" 하며 핸드폰 셔터 누르는 남친의 다정한
모습도 보이고. 그 일각으로 바람에 떨어지는 벚꽃 맞으며 걷고 있는
해주와 지희. 해주, 살며시 손 뻗으면 소매 끝에 손톱 같은 꽃잎이 살짝
내려앉는다.

해주	아름다운 건 왜 이리 짧은지 몰라.
지희	그러게나 말이다. 젊음도 한때라는 말이 벌써 실감이 난다니까!
해주	우리 아직 젊거든여~
지희	젊기는. 몸이 벌써 알어. 내일이면 또 늙는 거.
해주	(소매 끝 벚꽃 잎 보며) 이 이쁜 걸 보러 와서 청승은. 오늘이 제일 젊다!
지희	그래! 청승은 가라!!

해주, 소매 살짝 흔들면 붙어 있던 꽃잎이 팔랑 날아올랐다가 천천히
바닥으로 떨어지고. 해주와 지희, 벚꽃 길 감상하듯 걷고 있다.

해주   찰나여서 그런가? 더 애틋하네. 그래서 더 오래 보고 싶
         은 건가 봐. (천천히 멈춰 서 머리 위 벚꽃 올려다보며) 얘네들
         은 보름쯤 화려-하게 왔다가 1년 11개월은 내내 잠만 자
         잖아.

지희   (나무 본다) 좀, 오래 폈으면 좋겠는데.

해주   (지희) 짧아서 임팩트가 강한 거야. (천천히 발걸음 떼고)

지희   (따라 걸으며) 근데 인생은 왠지 짧고 굵은 게 싫더라.

해주   (픽) 일찍 죽기는 싫은가 보네.

지희   아직 죽기는 이르잖아.

해주   내일 또 늙는 걸 몸이 벌써 아신다면서요.

지희   (슬쩍 흘기는) 아 쫌! 세세하게 따지지 말아줄래?

해주   (지희 이마 쪽) 거기, 지금 주름 하나 더 생겼다. (메롱 / 뛰어
         가는)

지희   장해주 너어! 진짜 가만 안 둬!!

해주, 까르륵 웃으며 저만치 뛰어간다.
지희, "진짜 잡히면 죽을 줄 알아!" 쫓아가는 데서-

해주(N) 시간이 좀 느리게 흐르면 얼마나 좋을까 생각한 적이 있
         다. 대수롭지 않게 흘려버린 날들을 좀 담을 수 있게.

플래시백 »

1. 버스 정류장 + 버스 안 (아침)

교복 입은 고등학생들 버스 기다리는 풍경.

그때, 버스 한 대 와서 선다. 학생들 타기 시작하면. 열여덟 살 지희, '빨리 좀 와라‥' 초조한 듯 목 길게 빼고 누군가 기다린다. 저편에서 백팩 멘 해주 뛰어오고. 지희, "빨리! 빨리!!" 손짓한다. 해주와 지희 가까스로 버스 탄다.

버스 안.

맨 뒷좌석에 앉은 해주와 지희. 숨 헥헥 몰아쉬는 해주고. 그런 해주 보는 지희, 백팩에서 물 담긴 텀블러 꺼내 건넨다. 해주, 고맙다는 듯 고개 끄덕이며 텀블러 뚜껑 열고 물 마신다.

해주   (텀블러 뚜껑 닫고 지희 주며) 으허. 살겠다‥!

지희   (애를 어쩌니‥) 대학은 같이 못 갈 텐데. 나 없으면 넌 어쩌니.

해주   다~ 산다. 걱정을 말아라.

지희   심~히 걱정이 되거든여? (뭔가 생각났다) 맞다! 너 오늘 학교 끝나고 뭐 해? 중심가에 새로 생긴 돈가스집 있는데 되게 맛있대. 거기 가자!

해주   다음에. 이 언니가 오늘은 알바가 있으시단다~

지희   진짜 맛있다는데‥ (쩝) 별수 없지. 다음에 가자.

해주   (끄덕)

해주, 백팩에서 CD플레이어 꺼내 이어폰 귀에 꽂으며 창밖으로 시선.
지희, 자기 백팩에서 영어 단어장 꺼내 펼친다.

해주(N)   우리의 시절은 아주 느리게 흐를 줄 알았다.

2. 해주의 대학 캠퍼스 (낮)

에코백 메고 책 든 채 강의실로 정신없이 뛰고 있는 20대 해주.
2G 폴더폰 벨 소리에 잠깐 멈춰서 확인하면 지희다.
해주, '이따 하자!' 그대로 닫고 다시 뛴다.

점프컷 »

대학생들 거닐고 있는 캠퍼스 풍경.
해주, 그 속에 섞여 걷고 있다. '아차차⋯ 아까 지희 전화 왔었는데⋯' 에
코백 뒤지며 핸드폰 찾는. 핸드폰 꺼내 지희한테 전화 거는데 신호음
만 갈 뿐 받지 않고.

해주(N)   우리의 시간은 영원할 거라 생각했는지, 혹은 느리게 흐
           를 줄로만 알았는지⋯ 어쩌면 놓친 그 모든 날들을 다시
           되돌릴 수 있다고 생각했는지도 모른다.

3. 제작사 사무실 (밤)

책상 앞에 앉아 멍하니 노트북 화면 보고 있는 해주. 옆에 있는 핸드폰 화면에 SNS 알림 뜬다. 화면 열면 지희의 피드에 친구들과 여행 가서 찍은 사진 보이고. 지희의 사진을 하나하나 보는데 괜스레 마음이 울적해진다. 지희에게 전화 거는 해주.

지희(F)   (받는 / 주변 시끌시끌) 어~

해주   어디야?

지희(F)   친구들이랑 강원도 왔어. 너는?

해주   일하지.

지희(F)   에?? 지금 몇 신데 아직 일을 해? 밥은 먹었어?

해주   (괜스레 심통) 몰라.

지희(F)   (ㅋㅋ) 뭐여-

해주   (뚱) 나랑은 여행도 안 가고‥!

지희(F)   (피식) 니가 바쁘잖아~ 방송한다, 글 쓴다, 맨날 바쁘면
          서! (주변에서 이지희! 부르는 소리 들리고 / 어 갈게! / 해주에게)
          애들 부른다. 내가 이따가 전화할게!

통화 끊기는. 해주, 끊긴 핸드폰 화면 보다가 얕은 한숨 쉰다. 책상 위에 핸드폰 두고 다시 노트북 화면으로 시선.

해주(N)   수없이 서로의 시간을 놓치는 사이‥ 우리가 놓친 시간들

은 빠르게 휘발되고 있었다.

다시 현재 »

걷는 해주와 지희 머리 위로, "와아-" 사람들 함성과 함께 롤러코스터 지나가고. 해주, 지희 보면서 웃는다.

S#2. 해주의 작업실 (낮)

노트북으로 일하고 있는 해주. 투둑투둑 빗소리에 창밖 보면 봄비 내리고 있다. 해주의 노트북 화면에 톡메시지 알림 뜬다.

지희   [우리 어제 벚꽃 보러 안 갔으면 울 뻔.]

해주   [또 1년 기다리는 거지 뭐 ㅋㅋㅋ]

지희   [이제 미루지 말고 제때 가자.]

해주   [그러자. 이제 다음은 없을지도…]

해주, 피식 웃으면서 의자에서 일어나는. 작업실 창 쪽으로-
저 멀리 보이는 길가에 핀 벚꽃들, 빗방울에 하나둘 천천히 떨어지는 풍경 보인다.

해주(N)   찰나여서 더 좋았던 시간들. 너무나 잠깐이어서, 깜빡임
          의 순간이라, 이토록 빛나는 한때라는 걸 몰랐던 날들. 우

리의 지나간 밤이, 그 어느 낮보다 아름답다는 걸, 그땐
몰랐다.

S#3.　　수목원 (낮)

어느 가을날.

빨갛게 물든 단풍들 사이로 걷고 있는 해주와 지희. 예쁘게 물든 단풍
사진 찍느라 정신없는 지희. 단풍 훑으며 천천히 앞서 걷는 해주.

지희　　(어느새 해주 곁에 서며) 이거 봐봐. (핸드폰 화면 내민다)

해주　　(보면 해주 뒷모습 찍힌 사진이다) 오~

지희　　그렇지! 이런 반응이 좀 나와줘야 또 찍는 맛이 나지. (해
　　　　주 사진 보며) 누가 찍었는지 참 잘 찍었다!

해주　　(픽) 너도 찍어줘?

지희　　어. (기다렸단 듯 냉큼 단풍나무 아래쪽으로)

해주, 저렇게 좋을까- 싶어 피식. 지희, 이미 포즈 잡고 있다.

해주, "하나 둘 셋!" 하면서 핸드폰으로 찰칵! 환하게 웃는 지희 얼굴
찍혔다.

점프컷 »

수목원 단풍나무 아래 벤치. 해주, 지희 마주 앉아 캔 음료 마신다.

지희   (머리 위 단풍 보며) 색이 어쩜 이렇게 이쁘냐? 곱다 고와.

해주   (유심히 단풍 보다 / 심드렁) 뭘 고와. 빼싹 타들어갔구만.

지희   (윽…! 감성 파괴자…) 눈 제대로 달고 있는 거 맞음?

해주   (그렇다는 듯 눈 크게 뜨는)

지희   (절레절레) 말해 뭐 하겠니. (마시고)

해주   빼싹 탔던, 색이 곱던, 우리가 이걸 같이 보는 날이 있다
      는 게 감개무량하다.

지희   (끄덕이며) 그러니까.

해주   사는 게 뭐라고 참….

지희   뭐 한다고 그렇게 살았나 모르겠네. 아등바등. (주변 풍경
      보며) 이렇게 좋은걸.

해주   나는요~ (어깨 들썩들썩) 지희가 좋은걸~ 워허워허어~~
      3단 고음 갑니다! 핫 둘 셋 넷! I'm in my dream~~

지희, 해주 보며 까르륵 웃음 터지고. 단풍나무 아래 해주와 지희, 같이
어깨 들썩이며 까르륵 웃는데서-

해주(N) 대단히 특별하지 않아도 우리의 시간은 반짝이고 있다는
       걸. 아주 작은 반짝임일지라도, 삶의 한 귀퉁이에 곱게 접
       어둘 수 있는 인생의 페이지가 된다는 것.

S#4.   해주의 집 (낮과 밤)

(낮) 해주, 현관에서 주방 쪽으로- 택배 상자 낑낑대며 들고 오며, 내가 이렇게 무거운 걸 시켰던가‥ 싶고. 식탁 위에 박스 올리는 해주, 박스 테이프 뜯어 상자 연다. 상자 안 내용물 보고 '헐‥ 이게 뭐야‥ 내가 시킨 물건이 아닌데‥' 주머니에서 핸드폰 꺼내 구매처에 전화 건다.

해주   (상담원 받으면) 물건 배송이 잘못된 것 같네요. (듣고) 홈
          페이지에 사진 첨부하면 되죠? (듣고 / 택배 상자 보며) 배송
          온 물건은 어떻게 하나요? (듣고) 아‥ 먹으면 되는구나‥
          감사합니다. (끊는)

해주, 핸드폰 식탁에 올리며 갖가지 종류의 고기가 든 팩 본다. '이걸 다 어째야 하나‥' 얕은 한숨 쉬는. 고기 팩 들고 냉장고 쪽으로 가려다 '아!' 뭔가 생각났다는 듯이 고기 팩 내려놓고. 핸드폰 들어 지희에게 전화 건다.

해주   (받으면) 오늘 우리 집으로 와. 무조건 와. 안 되는 거 없어.
지희(F)   즈기여? 나의 스케줄 같은 건 없는 거니?
해주   없어, 없어. 비상이니까 와야 돼, 너.
지희(F)   뭔 일인데 이래~
해주   아무튼 오면 아니까 이따 봐. (지희 뭐 말하려는데 그냥 끊
          는다)

시간 경과 »

(밤) 삑삑삑삑 띠리리릭- 현관 도어락 풀리는 소리 들리고. 지희, 거실 지나 주방으로 들어서는. 해주, 주방에서 분주하게 음식 하다가 기척에 돌아보며 "왔어?" 하며 말 건넨다. 고기반찬으로 잔뜩 차려진 식탁 위를 (제육볶음, 닭구이, 찜닭, 돼지불고기 등) 보고 놀라는 지희.

지희   (흐익!) 오늘 무슨 날이야? 뭔 고기반찬이‥ (놀라서 말끝 흐리는)

해주   배송이 잘못 왔어. 고기 되-게 좋아하는 사람인가 봐.

지희   (ㅋㅋㅋㅋ / 무슨 상황인지 알겠고) 넌 뭐 시켰는데?

해주   난 채소 잔뜩? 이 사람처럼 고기 좋아하는 집에서 받았다면 엄청 신경질 날걸? (ㅋㅋㅋㅋㅋ)

지희   (두 팔 걷어붙이며) 먹어보자! 당분간은 내 돈 주고 고기 먹을 일 없어서 좋네!

점프컷 »

고기반찬에 밥 먹는 해주와 지희. "너무 고기고기 한 거 아니냐, 김치라도 내와라", "김치 넣을 틈 같은 거 없으니까 부지런히 채워라", "느끼해서 더는 못 먹네", "오늘 죽더라도 다 먹어야 하네", 티격태격하며 먹는다.

해주(N)   가끔은 놓칠지라도, 다 새기지 못하더라도 괜찮다. 우리의 좋은 날은, 반짝임은 바로 지금이니까.

▶ 에필로그

S#5. 번화가 일각 + 지희 사무실 일각 (낮)

해주, 번화가 일각 걷고 있다. 편의점 옆 좁은 골목 나오면 틀어서 간다. 어느 옷 가게 앞에 우뚝 멈춰 선 해주. '헐‥ 여기 왜 이런 게 있는 거지‥?' 싶고.

갑자기 힘이 쭉 빠진 해주, 핸드폰 화면 밀고 지희한테 전화 건다. 지희, 사무실 일각쯤에서 전화받는다.

해주   (지희 받으면) 없어졌어‥.

지희(F)   갑자기 뭐가 없어졌는데?

해주   삼겹살집.

지희   **인서트** » (으응?? / 난 또 뭐라고‥) 삼겹살? 다른 데 가면
         되지.

해주   너랑 꼭 가고 싶다고 했던 집‥ 진짜 기가 막힌다고 했던
         그 집‥.

지희   **인서트** » 에? 그 집이 없어졌어? (대수롭지 않고) 오래됐
         다며.

해주   저번에 왔을 때까지 분명 있었는데‥ 사장님이 가게 없앤
         단 말 같은 거 안 해줬단 말이야‥ 무슨 단골 대우가 이따

위야…!

지희   **인서트 »** (ㅋㅋㅋ) 그래서 거기엔 뭐가 새로 생겼는데?

해주   (짜증) 몰라. 어울리지도 않는 옷 가게가 있어… 아주 을씨년스럽게…!

지희   **인서트 »** (달래듯) 우리… 당분간은 고기 안 먹기로 했잖니… 어제 그렇게 먹고 왜 이래….

해주   아 몰라! (옷 가게 노려보며) 내 삼겹살집 내놔!!

해주, 지희랑 통화하며 털레털레 왔던 길로 다시 돌아간다.

해주(N)   바쁘다, 지금은 안 된다, 여유가 없다는 말들로 오늘을 흘려보내지 말자. 지금 해야 할 것들을 꽉 잡고 내 안에 가득 채워보자. 할 수 있을 때 하자. 하고 싶을 때 할 것. 최대한, 미루지 말 것.

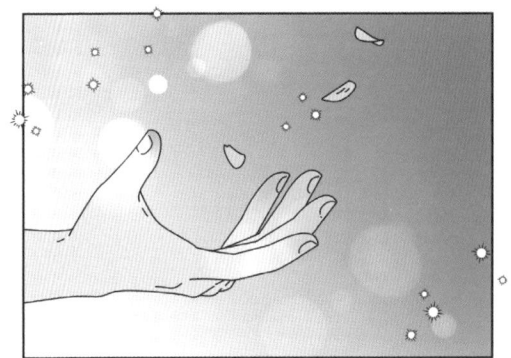

프리랜서 말고
프로랜서

▶ 이야기의 배경

이번 달에도 여지없이 원고료가 밀렸다. 사실 방송가에서 이런 일이 비일비재한 건 아니지만, 어째 새로 들어온 이 방송국에서는 날마다 원고료가 밀려서 들어온다. 죽어라 일시켜먹을 때는 언제고, 제날짜에 입금은 안 해주는 상황이라니. 이게 무슨 멍멍이가 풀 뜯어 먹는 소리인지 모르겠다. 담당 피디를 들들 볶아보지만! 펑 피디 왈, 나는 일개 펑 피디일 뿐, 위에서 결재가 안 내려오는 걸 어쩔? 하며 일갈할 뿐이다. 이것들을 확! 다 들이받아버릴까!?

S#1.   방송국 사무실 일각 (낮)

조용한 사무실 안.

다들 각자의 자리에서 귀에 이어폰을 꽂고 편집하는 피디들, 보고서 쓰거나 영상 모니터하거나. 일각으로는 커피 홀짝이며 주변 눈치 쓰윽 살피고 핸드폰으로 주식하는 피디도 보인다. 그때, 사무실 유리문 밀면서 들어오는 누군가 보인다.

(편집컷)

- 비장한 발걸음 쿵쿵!

- 두 주먹 불끈!

- 입술 꽉 깨문 모습 보이고.

(컷 튀면)

해주, 비장한 얼굴로 씩씩대면서 걸어오고 있다.

해주(N)   정말 진저리가 쳐지고 넌덜머리가 나는 지긋지긋한 일상
          이… 또 시작되고 있었다.

우뚝- 멈춰 서서 매섭게 누군가의 뒤통수를 노려보는 해주. 해주 시선 따라가면, 고개 푹 박고 있는 (핸드폰 화면 보는) 한 남자의 뒤통수 보인다. "훅!" 입바람으로 앞머리 날리며 성큼성큼 다가가는 해주.

해주   (남자 피디 어깨 톡톡) 피디님?

평 피디   (고개 들고 휙 돌아본다)

해주, 슬쩍 곁눈질로 보면 평 피디 손에 들린 핸드폰 화면 속 주식 그
래프 보이고. '팔자 한번 좋으시네~' 생각하며 어이없어 픽-
해주의 시선 느낀 평 피디 어색하게 웃으며 핸드폰 화면 뒤집는다.

평 피디   작가님 무슨 일로?

해주   (무슨 일로··라니? / 슬쩍 날 선) 원고료는요?

평 피디   아 그게·· (민망한 듯 뒤통수 긁적이는)

해주   (슬쩍 뾰족) 벌써 열흘쨀 건 알죠?

평 피디   상무님이 계속 휴가 중이시라, 결재가 안 내려왔네요.

해주   (지금 그걸 말이라고 하냐?!) 피디님. 자꾸 이러면 저 진짜 일
            못 해요.

주변 피디들 무슨 상황인가 싶어 힐끔힐끔 본다.

평 피디   (주변 시선 느끼며) 작가님 잠깐 나가서 얘기하실까요?

자리에서 일어나 사무실 밖으로 걷는 평 피디.
해주, 얕은 한숨 내쉬며 따라 나간다.

S#2.   방송국 옥상 (낮)

자판기에서 음료수 뽑는 평 피디. 해주, 그 옆 벤치에 앉아 있다.

평 피디, 캔 음료 양손에 들고 와 하나를 해주에게 내민다. 음료수 받아
든 해주, 캔 음료 따서 그대로 꿀꺽꿀꺽 마셔버린다. 해주 옆에 선 채
캔 음료 따는 평 피디.

평 피디   갈증이 많이 나셨네. (하하… / 마시고)

해주   갈증이 안 나게 생겼나? (평 피디 본다)

평 피디   (괜히 건드렸다 싶고)

해주   피디님, 월급 받았죠?

평 피디   (별생각 없이) 받았죠. (마시려다 말고 / 아차차… 말 잘못 꺼냈다)

해주   (기가 믹히고) 똑같이 일했고, 아니! 일은 내가 더더더더더
           더더!! 많이 했고!! 그렇게 일한 나의 노동의 대가! 내 돈
           달라는 건데, 왜 맨날 이런 궁상을 떨어야 하는 걸까요?

평 피디   (내가 어떻게 해줄 수 있는 상황이 아니잖아?) 그러게요.

해주, 다 마신 빈 캔 쓰레기통을 향해 툭 던지는데 쓰레기통 맞고 튕겨
져 나온다. '주워… 말아…' 잠시 물끄러미 본다.

해주   사실 피디님이 미안할 건 아니지. 평 피디가 무슨 힘이
           있겠어. (얕은 한숨 / 손에 든 핸드폰 화면 밀어서 평 피디에게 내
           미는)

평 피디	(??)
해주	찍어요, 상무 번호. 내가 직접 해결할게. 피디님 괴롭히는 것도 하루 이틀이지. 나도 지겹다 진짜.
평 피디	(해주가 내민 핸드폰 내려다보는데 난감하다)
해주	(핸드폰 흔들) 안 찍어요?!
평 피디	저기 작가님. 며칠만 좀 기다려주세요.
해주	(뚱) 그럼 이 시간부로 다른 작가 구하세요. 돈도 안 주는데 일을 왜 해 내가?
평 피디	(아… 골 아프다 / 일단 달래고 보자) 작가님‥ 이러시면 당장 방송은 누가 막아요‥.
해주	계속 이러시면~ 제 생활은 누가 막나요?
평 피디	(하아‥ 미치겠다) 일단 이번 주 안으로 원고료 해결할 테니까‥ (해주 쪽으로 핸드폰 스윽 미는) 이건 좀‥ 넣어두시죠.

해주, '장난하냐?! 더 봐주고 싶은 생각 눈곱만큼도 없거든?' 떨떠름하게 평 피디 잠깐 보다가 그대로 핸드폰 들고 자리에서 일어난다.

해주	(시선 정면) 내일까지. 안 되면 나 진짜 상무 쫓아갈 거야. 그리고 당장 때려침과 동시에! (평 피디 본다)
평 피디	(??)
해주	노동부에 신고할 거야.
평 피디	(어차피 나한테 불똥 튈 건 아니니까 / 별수 없다는 듯) 그러세요~

해주, 쓰레기통 옆에 떨어져 있는 빈 캔 (조금 전 던진) 주워서 쓰레기통에 탕- 소리 나게 던져 넣고 걸어간다.

해주(N) 아더메치. 어떤 영화에서 그랬다. 세상 산다는 게 아니꼽고, 더럽고, 메스껍고, 치사하다고. 나는 내 돈을 받는 행위 자체가 그랬다. 아더메치.

플래시백 »
1. 해주의 작업실 (밤)
(벽에 5월 달력 걸려 있다) 핸드폰 전자시계 PM 11:59에서 AM 12:00으로 숫자 바뀐다.

해주 오늘도 안 들어온다고? (쓰고 있던 안경 벗으며 하아‥)

핸드폰 화면 밀고 '평 피디'에게 통화 버튼 누르려다 멈칫-
전자시계 12:02, 자정이 지났다. 해주, 톡대화창 띄우고 평 피디에게 메시지 보낸다.

해주 [피디님, 늦은 시간 미안해요. 혹시 작가 원고료 결재 넘어갔나요? 날짜 지났는데 아직 소식이 없네?]

잠시 후, 읽음 표시 없어지더니 평 피디에게 답장 온다.

평 피디   [아! 안 그래도 국장님한테 확인 중이에요! 피드백 오는 대로 연락드
           릴게요!]

해주   [네~ 바쁘시겠지만 부탁 좀 할게요.]

해주, 얕은 한숨 내쉬며 안경 집어 쓴다. 열린 노트북 앞에서 다다다
다- 키보드 두들기며 다시 원고 쓰기 시작한다.

해주(N)   처음 원고료가 밀렸을 땐 그랬다. 그래, 하루 이틀 그럴
           수도 있지. 사람이 하는 일인데 이 정도는 뭐. 매번 그런
           것도 아니고. 그런데….

2. 방송국 회의실 (낮)

(5월에서 6월 달력으로 팔락- 넘어간다) 회의 끝나고 뒷정리하는 평 피디.
해주, 회의실 앞에 서서 뒷정리하는 평 피디 잠깐 본다.

해주   피디님.

평 피디   (벽시계 확인) 시사*까지 시간 많이 남았는데 일찍 오셨
           네요?

해주   (내가 일찍 왜 왔겠니‥) 이번 달에도 원고료 밀렸어요.

평 피디   아‥ 그게‥. (난감하다)

* 방송 나가기 전 심의 과정

해주   아니 피디님. 매달 원고료가 밀리면 어떡해요. 이건 약속
          이잖아. 참아주는 것도 어느 정도죠.

평 피디   (내가 죄송할 상황은 아니잖아?) 결재를 받아야 하는데, 국장
          이 연락이 돼야 말이죠. 저라고 별수 있나요.

'그게 도대체 말이니 방귀니… 터진 입이라고 말을 막 하면 쓰겠니…'
깊은 한숨 내쉬는 해주.

해주(N)   그다음 달에도, 또 그다음 달에도. 여지없이 원고료가 밀
          리더니,

다시 현재»
(6월에서 7월, 7월에서 8월 달력으로 팔락- 넘어간다) 옥상에서 걸어 내려가
는 해주.

해주(N)   이달에는 아예 대놓고 열흘이나 밀렸다. 물론 돈을 떼먹
          지 않는다는 게 함정. 주긴 주는데 밀당이 엄청나다. 이게
          무슨 연애도 아니고·· 말이지.

S#3.   방송국 앞 (낮)

방송국 사원증을 목에 걸고 드나드는 직원들 가만히 쳐다보는 해주.

이방인이 된 것 같아 무심결에 자신의 빈 목을 만지작댄다.

해주(N) 당장 돈을 못 받아 굶어야 하는 상황은 아니다. 하지만 내 돈을 받기 위해 줄줄줄… 구차하고 장황-히, 프리랜서의 삶을 읊어대야 하는 그 순간이, 죽기보다 싫다.

인서트 »
해주의 작업실. (낮)
펑 피디에게 전화 거는 해주.

해주 피디님, 자꾸 채근하는 것 같아 미안하지만요. 원고료 언제 들어와요?

펑 피디(F) 지금 다들 자리에 안 계시네요. 조금만 기다려주세요.

해주 (감정 누른다) 피디님. 피디님은 월급 받는 근로자라서 모를 수도 있는데요. 저 같은 프리랜서들한테 "조금만 기다려주세요"라는 말이 얼마나 지독하고 잔인하게 들리는지 아세요?

펑 피디(F) (…)

해주 계약서 한 장 없이 일하는 프리랜서들은요. 입금 날, 통장에 숫자가 안 찍히면 불안해요. 당연한 일로 마음 상하는 일, 더 없었으면 좋겠네요.

펑 피디(F) 작가님 상황, 뭐 이해 못 하는 건 아닌데요… 저한테 이

렇게 열을 내봤자, 제가 당장 뭘 어떻게 해드릴 수 있는
게 없어요.

해주   (기가 막혀 말도 안 나온다 / 실소 픽-)

다시 현재 »

방송국 등지고 천천히 걷기 시작하는 해주. 핸드폰 진동 울린다. 화면
에 톡메시지 알림 뜬다.

후배   [언니! 나 진짜 이거 못 해먹겠어요! 지금 와서 기획료를 못 주겠
            대요!!]

해주, 메시지 가만히 내려다보는데 왠지 모를 억울함과 서러움이 울
컥- 올라온다. 답장 보내는 해주.

해주   [신고해버려. 봐주지 마.]

후배   [그럴 거예요! 언니·· 우리 진짜 불쌍한 거 같아요. 아니 떼먹을 게
            없어서 작가 기획료 떼먹냐구··.]

해주, 목 젖히고 하늘 보면서 후우- 깊은숨 내쉰다.

해주(N)   남의 돈 달라는 것도 아니고. 피땀 흘려서 번 내 돈 받겠
            다는 건데, 이게 이렇게까지 어려운 일인가 싶고. 너무나

어처구니가 없어 실소만 터지는 상황이다.

S#4.   카페 (낮)

수아, 쪼옥- 아이스라테 빨아들인다. 해주 앞에 아이스아메리카노 놓여 있다.

수아   아‥ 일하기 싫다.

해주   (픽-) 나도 그런 참인데, 확 때려치울까.

수아   (말뚱 / 해주 본다)

해주   왜.

수아   좋은 생각 같아. 같이하자 그거.

해주   뭐래‥. (피식)

수아   내가 지금 회사 다닌 지가 10년 정도 됐거든? 만년 대리
        야. 과장 승진시켜줄 때가 한참 지났는데! 이것들이 연봉
        때문에 직급을 동결시키네? (아오‥) 빡쳐!

해주   몸값 팍팍 올려서 딴 데 갈 수 있음 알아보든지.

수아   대기업도 아니고 이런 작은 기업들 다 거기서 거기지.
        (후아‥) 도대체 이놈의 회사를 왜 다니고 있는 건지‥ 내
        10년이 말이지. 통장에 따박따박 찍힌 급여 내역만 남은
        거 같애.

해주   그러게. 맘대로 때려치우지도 못하는 신세들. (마시고)

수아   로또 살래?

해주   (가당치도 않은 소리) 허황된 꿈 작작 꾸셔.

수아   (뒤로 벌러덩- 소파에 등 기댄다) 니가 이 회사원의 비애를 아
        냐- (별생각 없다) 아. 너는 프리랜서라 잘 모르겠구나, 이
        런 기분.

해주   별로 알고 싶지 않거든. 프리랜서의 삶도 몹시 팍팍하셔
        서여~

수아   (허리 세우고 앉아 아이스라테 쪼옥- / 해맑게) 밥은 먹고 다니
        니~~

해주   (수아 향해 / 이게 무슨 개풀 뜯는 소리냐··) 왜. 프리랜서는 밥
        도 못 먹고 다닐까 봐?

수아   야. 사실 말이 좋아 프리랜서지, 못 벌 땐 엄청 쪼들리고
        생활도 제대로 안 되고 그러지 않아?

해주, 아이스아메리카노에 꽂힌 빨대 빼고 그대로 쭈욱 마신다. 입안
에 들어온 얼음 아그작 깨무는.

해주   너같이 월급 따박따박 받는 나인 투 식스 월급쟁이들은
        절대 프리랜서 못 해. 온실에서 살던 사람들이 야생에서
        살 수 있겠냐? 나 같은 프리랜서는 진짜 야생인들이야.
        당장 실력이 없으면 굶어 죽어. 야, 프리랜서는 아무나 하
        는 건 줄 알아?

플래시백 »

1. 야외 촬영 현장 (낮과 밤)

여름 햇볕 내리쬐는 현장. MC들 스탠바이, 오프닝 준비 중이다. 카메라 10대 정도 세팅되어 있고, 작가들 카메라 밑에 앉아서 상황 체크 중이다.

점프컷 »

MC들에게 붙은 카메라팀 쫓아가는 해주와 작가들.

점프컷 »

출연자, 스태프들 식사 시간.

밥(도시락) 먹는 사람들 보이고. 해주, 다급하게 MC들 쪽으로 향한다. MC들과 잠시 촬영 관련 의견 주고받는 해주. "여기에서 소개 들어갈 거라 멘트 살려서 부탁한다", "좀 허당 캐릭터라 맹숭맹숭 연기 좀‥", "애드리브 충분히 살려서 가자" 등등.

MC들 "작가님 식사 안 하시냐", "다 먹고살자고 하는 일인데 밥부터 챙겨라" 하면- 해주, 웃는 얼굴로 "조금 이따가 먹겠다, 맛있게 많이 드시고 이따가 잘 부탁드린다" 인사하고 분주히 발걸음 옮겨 다른 스태프들에게 가서 촬영 관련 이야기 나누는 모습.

해주(N)   출근을 요구해서 출근을 했고, 방송 사고 한 번 낸 적 없고, 그렇다고 일을 못 해 피해를 준 건 더더군다나 없다.

2. 편집실 (밤)

노트북 화면에 한글 파일 떠 있고 자막 정리 중인 해주. 피디와 가편
집 파일 보면서 같이 자막 의논 중이다.

해주(N)   그런데 대체 돈은 제날짜에 딱! 왜 안 주는 걸까? 왜, 제
          때, 당연히 이루어져야 하는 그 일(원고료 날짜를 정확하게
          지켜주는 일)은 안 지켜주는 건지.

3. 해주의 집 (낮)

해주, 부스스한 얼굴로 리모컨 들고 TV 켠다. 채널 번호 누르면 화면
바뀌고, 자기 방송 모니터한다.

해주(N)   돈을 받고 못 받고 보다, 당연히 지켜져야 할 내 권리를
          박탈당한 기분.

다시 현재 »

뚱한 얼굴로 수아 쳐다보고 있는 해주. 멋쩍은 얼굴로 다 마신 아이스
라테 쪽쪽대는 수아.

수아   (입술 삐쭉) 알았어 기지배야! 내가 미안해! 사과하면 되
          잖아!!
해주   그게 사과냐?

수아	그럼 뭐 어쩌라고!!
해주	맨입 사과 같은 건 안 받아. 밥 사. 저녁. 근사한 걸로. 빡 쎄게.
수아	(절레절레) 돌은 자, 돌은 자.
해주	(대수롭지 않고 / 어깨 으쓱)

해주와 수아 자리에서 일어나 카페 밖으로 향한다.

해주(N)	그렇게 열흘을 버렸다. 그 안에 칼로리 소모는 얼마나 많았던가. 감정 칼로리, 생각 칼로리, 시간 칼로리, 물질 칼로리 등 온갖 에너지를 다 방출해 거의 넉다운이 됐으니 일주일을 '보낸 게' 아니라 '버린 게' 맞다.

▶ 에필로그

S#5. 해주의 작업실 (해 질 녘)

원고 쓰다 말고 노트북 훅- 닫는 해주. 핸드폰 노려보다 펑 피디에게 톡메시지 보낸다.

해주	[오늘 입금되는 거 맞죠? 은행 업무도 끝난 시간이에요.]

읽음 표시 없어지더니, 곧장 해주의 핸드폰 진동 울린다.

'평 피디'다.

해주   (받으며) 네.

평 피디(F) 오늘 밤 10시 안으로 들어갑니다.

해주   다행이네요. 내가 지금 막, 쓰던 원고를 그냥 덮었거든.

평 피디(F) 내일 더빙인 건 알고 있죠?

해주   알죠. 돈 들어오면 쓸 거예요. (시간 확인하며) 10시랬죠?

평 피디(F) 아‥ 작가님 진짜‥ 왜 이러세요‥.

해주   저도 이제 막 나갈래요. (통화 종료 버튼 누른다)

점프컷 »

해주, 노트북으로 영화 보고 있다. 노트북 시계 PM 9:58이다.

슬쩍 시간 확인하면서 핸드폰 화면 보는데, 그때 드륵- 진동 온다.

핸드폰 화면에 원고료 입금액 찍혀 있다. 해주의 입꼬리 씨익 올라

간다.

해주(N)   그동안 나는, 평 피디에게 전화에 톡메시지에, 화도 내고
          협박도 하고 징징대기도 하고. 별거 별거를 다 한 끝에 드
          디어 통장에 숫자가 찍힌 설 확인할 수 있었다.

노트북 화면에서 영화 보던 창 내리고 다시 한글 파일 여는 해주. 원고

써 내려가기 시작한다.

해주(N)   아·· 정말 더러운 세상.

'내 돈' 받기가 세상 제일 힘들다는 걸, 이번에도 절감하는 순간이다.

그러나, 그럼에도 불구하고, 이번에도 해냈다. 아싸!!

▶ 주요 장면 리플레이

Episode 5

싸움의 국룰

▷ 이야기의 배경

해주는 스트레스를 받으면 일단 입맛, 밥맛이 뚝 떨어지고 잠도 잘 못 자는 캐릭터다. 그래서 남자친구와 대판 싸우고도 밥만 잘 먹는다는 친구 민경이 신기하기만 하다. 민경은 무슨 일이 있어도, 어떠한 상황에 처하더라도 밥은 꼭 먹는 캐릭터이기에. 그날도 민경은 남자친구와 싸우고도 밥만 잘 먹었다며 해주에게 싸움의 국룰에 대해 일장 연설을 한다. 그리고 며칠 뒤 또다시 남자친구와 싸운 민경은 충격적인 장면을 목격하게 된다.

S#1.   카페 (낮)

해주, 노트북 열고 일하다가 흘끗 옆에 둔 핸드폰 본다. 핸드폰 화면 밀면, 연락 온 흔적 없이 말끔하다.

해주   지가 뭘 잘했다고. 두 손 모아 싹싹 빌어도 모자랄 판국에….

인서트 »
방송국 일각. (낮)
3시간 전. 해주, 핸드폰으로 가열하고 치열하게 남자친구와 싸우고 있다.

해주   그래서, 내가 걔랑 자기라도 했어? 뭘 했다고 이 난리야!!
남친(F)   그러니까. 왜 맨날 그 피디 놈이랑 둘이 편집실에서 밤을 새냐고.
해주   그럼 일은 어떻게 하니? 번번이 기분 더럽게 왜 이러는데?!
남친(F)   진짜 지겹다.
해주   그렇게 지겨우면 다른 여자 만나든가! (신경질적으로 끊는)

다시 현재 »
해주   (얕은 한숨) 헤어지든가 해야지…. (테이블 위에 손 댄 흔적 없이 예쁘게 놓인 케이크 본다) 진짜 못 해먹겠네.

S#2. 몽타주

1. 해주의 주방 (낮)

해주, "시베리아 가스 불에 구워 쌈 싸 먹을 놈! 개나리 민들레를 엮어 십장생을 만들 놈팽이" 궁시렁궁시렁 욕하면서 물이 펄펄 끓는 냄비에 라면과 스프 집어넣는다. 잠깐 기다렸다가 면 휘휘 젓고 가스 끄고 냄비 들어 식탁에 놓는다. 이제 식탁에 앉아 라면 한 젓가락 들고 먹으려는데, 옆에 놓인 핸드폰 지잉- 울린다. 해주, 확인하면 '남친' 톡메시지다.

남친   [어제 피디랑 둘이 꼭 붙어 앉아 먹은 라면은 맛있었냐?]

해주, 인상 팍 구기며 벌떡 일어서 라면 냄비 들고 싱크대로 가서 화악 부어버린다.

2. 해주의 작업실 (낮)

책상 앞, 의자에 앉아 의자를 빙글빙글 돌리며 '참을 인' 자를 열심히 새기고 있는 해주. 그러다 돌리던 의자 신경질적으로 멈추고 발딱 일어서서 책상 위 핸드폰 노려본다.

해주   지가 뭐라고 때려치우라 마라야? 먹여 살릴 주제도 안 되는 게!

3. 해주의 화장실 (낮)

해주, 칫솔에 치약 묻혀서 입에 물고 천천히 양치질하다가 점점 거칠고 빨라진다.

4. 해주의 방 (밤)

침대 위, 똑바로 누워서 천장 뚫어져라 노려보고 있는 해주. "으아아아아악~~~!!!" 이불 킥 마구 해대다가‥ 이불에 둘둘 말린 채 침대에서 굴러떨어진다.

S#3.　편의점 앞 (밤)

편의점 문 열고 나오는 해주, 맥주 캔 까서 그대로 꿀꺽꿀꺽 원샷하고 빠직– 캔 구긴다. 후욱– 심호흡하는데 핸드폰 진동 울린다. 살짝 움찔하면서 화면 보면 '민경'이다.

해주　　　(받는다) 어.
민경(F)　어디 보즈아~ 수리수리 마아수리~~ 보아하니 남친이랑
　　　　　싸운 게로군.
해주　　　장난 받아줄 기분 아니야.
민경(F)　어딘데?

점프컷》

편의점 앞으로 민경의 차 선다.

민경   (해주 쪽으로 창문 열며) 야! 타!

해주   (좀 하지 마라 그런 건 / 절레절레) 진짜 너무 올드해. (하면서
               차에 타는)

S#4.   민경의 차 안 (밤)

차 출발하고. 민경, 여유롭게 운전 중이고. 해주, 이게 뭔 냄새지? 킁킁
댄다.

해주   (이 익숙한 MSG 향은?) 여기서 라면 먹었냐?

민경   어.

해주   한강 라면에 이어 카 누들˚이 요즘 대세야?

민경   (픽) 나도 남친이랑 대판했거든.

해주   (?)

민경   아니, 오빠랑 싸우고 났더니 갑자기 배가 고픈 거야. (민망
               한 듯 배시시 웃는)

˚ 카 누들(Car Noodle), 차 안에서 먹는 라면을 표현한 말

인서트 »

1. 민경의 남자친구 집 (낮)

민경과 민경의 남자친구, 서로 죽일 듯이 노려보고 있다.

민경, "여기 더 있다간 속 터져 죽지!" 거실 테이블 위에 놓인 차 키 들고 나간다.

2. 편의점 (저녁)

편의점 바구니에 컵라면이랑 음료수랑 김밥 담는 민경.

3. 주차장 + 민경의 차 안 (저녁)

민경, 편의점 봉투 흔들며 차 키 들고 "삑-" 차에 탄다. 차 안에서 핸드폰으로 예능 프로그램 틀어놓고 낄낄낄, 깔깔깔 하면서 라면과 김밥 먹는다.

다시 현재 »

해주, 고개 절레절레 흔들고 있다.

해주   (진짜 대단하다··) 그러고 밥이 들어가냐?

민경   지금 당장 하늘이 두 쪽 난대도 나는 밥부터 먹을걸? (ㅋㅋㅋ)

해주   밥 먹을 시간이고 나발이고, 하늘 두 쪽 나면 그냥 뒤지는 거야.

민경   나, 뒈지기 전에 밥 먹고 하늘이랑 맞짱 뜰 건데?

해주   (절레절레) 좀 곱게 미쳐라‥.

민경   (뭔가 생각났다 / 아!) 지금은 이게 딱이지! (음악 플레이)

옴므의 〈밥만 잘 먹더라〉 음악 재생되면 민경, 노래 따라 부른다.

해주   (왜 저래 진짜‥ 얕은 한숨 쉬며 창밖으로 시선)

민경, 노래 따라 부르다가 볼륨 줄이면서 해주 힐끗 본다.

민경   (쯔쯔쯔) 넌 글러먹었다.

해주   (슬쩍 뾰족) 뭐가 또.

민경   너, 싸움의 국룰[•]이 뭔 줄 알아?

해주   (뭐래‥)

민경   (픽) 잘 먹는 거.

해주   (뭔 소리야)

민경   한마디로! 잘 먹는 사람이 싸움도 잘하고 이기기도 하는
        거라고 이 애송아.

해주   니 남친은, 너 이렇게 뒤에서 호박씨 까는 거 아냐?

민경   (으쓱) 모를걸? 안 먹은 척하니까. (웃음 터지고).

• 국민 룰을 줄여서 표현한 말

해주   (심드렁) 재밌냐.

민경   야. 배에 힘이 짱짱해야 들이받든 이단 옆차기를 하든 욕 샤우팅을 하든, 뭐라도 하지. (운전 안 하는 손으로 해주 허리 훅 쥔다)

해주   (화들짝) 아! 뭐 하는 거야!!

민경   (해주 허리에서 손 떼며) 한 줌밖에 안 되는 이런 허리로 무슨 싸움을 해~ (하면서 자기 뱃살 쥔다) 이 정도는 돼야 뭘 좀 해볼 만하지.

해주   (민경 잡힌 뱃살 보면서 뚱) 그거 힘 아니고, 그냥 지방이거든.

민경, 킥킥킥 웃는다.

S#5.   해주의 집 (낮)

며칠 뒤. 창문 열고 청소기 돌리고 있는 해주. 바지 주머니에서 핸드폰 진동 울린다.

해주   (받는) 왜.

민경(F)   야 대박!

해주   뭐가 또.

민경(F)   내가 졌어 이번에는.

해주	(예상이 가고) 남친이 너보다 더 잘 먹었나 보다?
민경(F)	어어. (ㅋㅋㅋ)
해주	참 별나다. 별나. (절레절레)

▶ 에필로그

S#6. 민경의 오피스텔 (밤)

잔뜩 화가 난 얼굴로 씩씩대는 민경.

민경	꺼지라고! 이 나쁜 놈아!!
남친	(짜증 난 듯 화악 머리 쓸며) 간다 가! (돌아서는데)
민경	가란다고 진짜 가냐?
남친	(어이없고) 커피 사러 간다!

남친 나가면- 민경, 후욱 숨 내뱉는다.

시간 경과»

슬쩍 뾰족한 얼굴로 벽시계 보는 민경.

| 민경 | 커피 열매를 따러 간 거야? 왜 이렇게 안 와. |

민경, 현관 쪽으로-

S#7.   민경의 오피스텔 1층

짜증 난 얼굴로 1층 상가 카페로 향하는 민경. 맞은편 편의점 통유리
너머로 낯익은 남자 뒷모습 보인다. 설마⋯ 하면서 그쪽으로-
민경의 남친이 컵라면에 김밥 우걱우걱 먹고 있고. 그 모습 보고 슬핏
웃으며 돌아서는 민경이고.

S#5-1. 해주의 집 (S#5 이어서)

핸드폰 들고 정말 못 말리겠다는 듯 이마 짚고 있는 해주. 핸드폰 너머
로 민경의 킬킬 웃는 소리 들린다.

민경(F)   커피 사 가지고 온다더니, 나가서 밥 먹고 있더라. 모르는
           척해줬어.
해주   괜히 커플이 아니지. 천생연분이야 아주.
민경(F)   우리 오빠는 안 그럴 줄 알았지. 그런데 오빠도 사람이더
           라. 싸우는 데 에너지 쓰니까 배고픈가 봐.

핸드폰 너머로 민경이 깔깔깔 웃음 터뜨린다.

해주(N)   싸움의 국룰. 무조건 잘 먹자. 마음이 고플 땐 배 속부터
           뜨끈하고 빵빵하게 채워야 다시 사랑할 용기도 생기는
           거니까.

주요 장면 리플레이

힘들 때 찾아가면 늘 한 상 거하게 밥상을 차려 내놓는 민경이었다.
일단 밥을 먹고 나면 뭐든 할 수 있을 거라면서.
참 이상한 논리지만 숟가락을 들고 밥을 한 숟가락, 반찬을 한 젓가락,
국을 한 모금 먹다 보면 희한하게도 저 밑에서 꺼져가던 나의 마음 전구에
깜빡깜빡 브라운 빛이 돌기 시작했다.

안녕?
나의 사랑하는 날들

희정(해주 엄마)과 해주는 오랜만에 예전에 살던 동네에 볼일이 있어 왔다가
우연히 지난날 해주의 가족이 살던 아파트 앞을 지나게 된다. 희정은 아파트
를 올려다보면서 아련해져오고. 해주에게도 질문을 던진다. 해주는 희정의
물음에 문득 지난하고 치열했던 자신의 날을 떠올리는데.

S#1.   어느 아파트 일각 (해 질 녘)

해주와 희정, 조금 떨어진 채로 노을 등지고 걷고 있다.

해주, 흘끗 아파트 쪽 한 번 보고 다시 걷는데 아무 표정 없다. 희정, 그런 해주 뒷모습을 가만히 바라본다.

희정   넌 여기 지날 때 생각 안 나?

해주   (덤덤) 생각나면 뭐. 다 지난 일.

희정   (…)

해주   난 저기 살 때가 제일 지겨웠어. 지긋지긋해.

해주, 우뚝 멈춰 서서 아파트 정면으로 본다.

해주(N)   나의 20대가 고스란히 녹아 있는 집. 내 청춘이 녹아 없어져버린 집.

플래시백 »

1. 카페 (낮)

20대의 해주, 정신없이 커피 내리고, 음료 만들고, 서빙하다가 코피 쏟는. 다급히 코피 틀어막는다.

2. 대학교 강의실 (낮)

PPT 띄운 화면 보이고, 교수 설명하며 한창 강의 중인 풍경. 수업 듣는 학생들 사이로 해주도 보인다.

시간 경과 »

강의가 끝난 풍경. 강의실 빠져나가는 학생들이며 책 덮고 가방 챙기는 학생들 보이고.

그 사이로 조금 서둘러 가방 챙기는 해주 모습도 보인다. 화사하게 꾸민 친구1·2·3, 해주 쪽으로- (화사하게 꾸민 친구들에 비해 해주의 수수한 모습. 대조적으로 보이는)

친구1　　오늘 치맥할 건데, 해주 너도 갈 거지?

해주　　　미안. 나 오늘 저녁 알바 있어.

친구2　　야. 그 동네 돈 니가 다 쓸어 담냐? 하루 좀 놀자.

친구3　　오늘만 알바 째면 안 돼?

해주　　　(그냥 조용한 미소로 때운다)

3. 식당 (저녁)

여기저기 테이블에서 "딩동, 딩동" 벨 소리 들리고. 테이블마다 "여기요!", "주문이요!", "김치 좀요!" 부르는 소리 들린다.

해주, 벨 소리와 손님들 부르는 소리에 맞춰 "네!", "잠시만요!" 땀에 절은 얼굴로 이리저리 열심히 뛰어다닌다.

해주(N) 온 청춘을 박박 갈아 넣은 내가 있고,

4. 해주의 아파트 베란다 (저녁)

담배 길게 빨아 후욱- 내뱉는 해주, 눈물 주르륵 흐른다. 손등으로 슥슥 눈물 닦고 다른 손에 들린 청구서 본다.

전기 단전 고지서.

해주(N) 어떻게 살아도 단 1원어치도 변하지 않던 삶이,

5. 해주의 방 (밤)

전화로 남자친구와 언성 높이며 싸우는 해주. 말하다 끊어지는 핸드폰.

해주(N) 사랑마저 상실한 내가 있는 곳.

꺼멓게 꺼진 핸드폰 화면 바라보다 신경질적으로 핸드폰 집어 던지고 그대로 펑펑 운다.

해주(N) 눈물만 켜켜이 쌓여 있는 집.

다시 현재 »

해주, 돌아서서 담담하게 희정 본다.

해주	난 다 잊었어. 그 시절, 그때 흔적 같은 거. 하나도 남겨두기 싫어.
희정	(애잔한 얼굴로 해주 본다)
해주	엄만, 아직도 미련이 남아?
희정	(옅게 쓸쓸한 미소 걸리고) 미련이라기보다 뭐랄까… 그냥 가끔, 아주 가끔 생각이 나.
해주	뭐가 제일 생각나는데?
희정	그냥 다. 좋았던 것도, 나빴던 것도, 엄만 힘들어도 좋았거든 그때.

문주란의 〈꼭 필요합니다〉를 낮게 허밍하며 걷기 시작하는 희정.
해주, 허밍하며 천천히 걷는 희정의 뒷모습 가만히 바라본다.

▶ 에필로그

S#2. 해주의 과거 아파트 앞 (낮)

봄바람에 살랑이는 나뭇잎들이 사락사락- 기분 좋은 소리 내고 있다.
그 아래로 아파트 일각 벤치에 앉아 있는 해주, 봄바람에 기대 앞의 아파트 애잔한 눈으로 보고 있다.

해주(N)	그래도 그 시절이 있어 좋았다. 나의 치열함이, 애달픔이, 내 시절들이, 오롯이 녹아 있는 집이니까.

해주가 앉은 벤치 옆으로, 교복 입은 남녀 학생 둘이 꺄르르 웃으며 지나가면- 고등학교 교복을 입은 해주가 꺄르르 웃는 모습으로 오버랩된다. 눈으로 좇는 해주.

해주(N) 지겹기만 한 과거라는 말도, 이미 다 잊었다는 말도, 모두 거짓말이다. 나는 그 시절들을 단 한 순간도 잊은 적이 없다.

꺄르르 웃는 고등학생 해주 사라지면-
해주, "1층, 2층, 3·· 4··" 하나씩 층수 세다가 7층에서 우뚝 손가락 멈추고 바라본다.

해주(N) 나의 가장 빛나던 한때가 깃들어 있는 집.

해주가 살던 집 현관문 열리고 누군가 나와서 이불을 펴서 탁탁 턴다. 그 모습 가만히 바라보는 해주고.

해주(N) 지금, 저 집에 살고 있는 사람은·· 나의 시절 위에 살고 있는 사람의 이야기가 문득 궁금해진다. 지금 저 집에 살고 있는 사람도, 자신의 시간들을 켜켜이 새기고 있을까.

주요 장면 리플레이

한 노년의 배우가 이런 말을 했다.
"세상에는 아쉽지 않은 인생도, 아깝지 않은 인생도 없다"고.
맞다. 우리의 인생은 매 순간 화양연화다.

Episode 7

서른아홉이
두 번

마흔을 앞둔 어느 날. 친구 현진이 암으로 세상을 떠났다. 현진의 빈소 안. 전
화로, 혹은 메시지로 안부만 물었던 동창들이 한데 모인 자리가 애석하게도
현진의 죽음 앞이었다. 그리고 장례식 후. 해주와 동창들은 각자의 자리에서
저마다 현진과의 기억을 떠올리고. 서른아홉이란 나이가 주는 의미가 어쩐지
더 새롭게 다가오는데.

S#1.   장례식장 (밤)

빈소 안.

환한 얼굴의 현진의 영정 사진 보인다.

해주(N)   친구가, 죽었다.

검은 복장의 조문객들 행렬 이어지고. 헌화하는 사람들, 상주들(현진의 부모)과 인사하며 위로 건네는 풍경. 해주, 현진의 영정 앞에 헌화한다. 하얀 국화 위로, 여전히 환하게 웃고 있는 현진의 영정.

해주(N)   서른아홉이 되던 해였다.

빈소 일각.

조문 마친 동창들 한 테이블에 둘러앉아 있고. 모두 쓸쓸하고 씁쓸한 얼굴들이다. 테이블 위. 장례식 음식들 차려져 있다. 각자 음식 먹는다.

동창1   맨날 모이자 모이자 하던 게, (장례식장 풍경 보며) 여기네.

동창2   우리 나이가 이제 그렇지 뭐. 경사보다는 조사에서 볼 날
          이 더 많지 않겠니.

동창3   참 허무하다, 사람 인생. (씁쓸하고)

동창4   그러게. 난 (현진 영정 사진 보며) 쟤가 저렇게 갈 줄 몰랐다
          진짜. 제일 오래 살 줄 알았어.

동창3   그렇게 열심히 살더니. 100세 인생에 반도 못 살아보

고…. (앞에 놓인 소주잔에 소주 따라서 마신다)

동창4   반이 뭐냐. 내년에 마흔인데. 4자는 달고 가지. 뭐 급하다

고. (속상한 듯 잔에 소주 따라 마시고)

동창2   근데, 우리 내년에 마흔 아닌데? 만 나이 적용한다잖아.

내년부터.

동창1   그럼 뭐야. (잠깐 계산하다가) 우리 서른여덟이야?

해주   (가만히 듣다가) 마흔이건, 서른여덟이건 그게 무슨 의미

야. 내년에도 어차피 사는 인생.

동창1   살아본 인생을 뭘 또‥ 지겨워.

해주   여기서 할 소리냐-

일순간 정적 흐르고. 조용히 음식 씹거나, 술잔 비우고 채우는 소리만

들린다.

S#2.   장례식장 야외 일각 (밤)

해주, 커피 자판기에 동전 넣고 밀크커피 버튼 누른다. 커피 나오면, 옆

에 있는 동창4에게 건넨다.

동창4   쌩유~

해주   (픽 / 다시 동전 넣고 블랙커피 버튼 누른다)

종이컵 들고 자판기 옆 벤치에 앉아 있는 해주와 동창4.

동창4   이 좋은 나이에 암이 뭐냐 암이. (마시고)

해주   (마시고) 그러게. 가늘고 길-게 사는 게 신조였잖냐. 걔가.

동창4   건강 관리 끝판왕이었지. 자기는 벽에 똥칠할 때까지 살
          거라고.

해주   (하늘 본다 / 밤하늘 맑다) 그래도 다행이다. 날이 좋아서.

동창4   (하늘 본다) 자기 죽는 날은 구름 한 점 없이 쨍쨍한 날일
          거라더니. 말대로 갔네.

해주, 동창4 나란히 하늘 보는 데서-

해주(N)   꿈도 많고 열정도 많은 오현진은, 산다는 게 조금은 멋진
          일이란 걸 알려준 친구였다.

플래시백 »

1. 어느 곱창집 (밤)

20대 후반의 해주와 현진, 곱창집에 마주 앉아 있다. 젓가락으로 곱창
한 점씩 들고 "짠!" 하고 먹는다.

해주   오현진 취업 축하한다!!

현진	고맙다! (먹으며) 취업할 때까지 아껴두길 잘했어 역시! 이 맛이야~
해주	근데, 왜 곱창이야? 취업 축하 선물.
현진	가늘고 길-게 (젓가락으로 곱창 들고) 난 딱 요렇게 살 거거든.
해주	(곱창 들고 보며) 굵고 길게는 안 되냐? 왜 꼭 가늘고 길게야? (먹는)
현진	글쎄. (먹는) 뭔가 굵은 건 맘에 안 들어.
해주	(뭔 소리야)
현진	너, 굵은 거치고 긴 거 봤어? 몽당연필, 분필, 떡볶이떡, 죄다 짧잖아.
해주	그래- 곱창처럼 가늘고 길게 살아라. (픽)
현진	우리 10년 뒤에 뭐 하고 있을까?
해주	(곱창 뒤집는 등 손 놀리며) 똑같이 이러고 있겠지. 가늘고 길-게 사는 얘기하면서.
현진	(ㅋㅋㅋ) 결혼하지 않았을까? (먹는) 너랑 나, 누가 먼저 결혼할 거 같아?
해주	너 먼저 해. (먹는 / 아뜨뜨)
현진	(먹고 / 아뜨뜨) 먼저 결혼하는 사람이 부케 주기.
해주	(피식) 그래. 나는 너 먼저 간다에 (젓가락으로 곱창 들고) 이 곱창 건다.
현진	10번 쏘기?

해주   콜!

해주와 현진, 끊임없이 조잘조잘거리며 곱창 먹는 풍경에서-

해주(N)   없어질 거라 생각해본 적 없다. 우리의 약속이. 이따금 산
          다는 행위 자체가 싫어질 때도, 그 삶까지도 사랑할 수 있
          었던 건 언젠가 이룰 수 있는 꿈이라고 믿었으니까.

2. 현진의 회사 (밤과 낮)

(밤) 불 꺼진 사무실 안. 아무도 없다.
현진의 책상 앞, 컴퓨터 모니터 빛만 밝다. 현진, 자료 뒤지며 PPT 만
드는.

(낮) 회의실 안.
임원, 팀원 쭉 둘러앉아 있고. 앞에 나가서 열심히 프레젠테이션하고
있는 현진.

해주(N)   매 순간 '사는 것'에 최선을 다하며,

3. 어느 버스 정류장 (낮)

해주, 버스 정류장에서 버스 기다리고 있으면 소형차 한 대가 와서 선
다. 빵빵- 클랙슨 울리는. 해주가 차 보면, 조수석 쪽 창문 내려간다.

현진	하이~
해주	(놀란) 너, 이 차 뭐야?
현진	이 언니 적금 탔잖니~ 한 대 뽑았지! 얼른 타!

해주, 현진 차에 타는.

해주(N)	여리고 빈약한 구멍 많은 인생에 하나하나 채워져가는 날들이, 가슴 벅차게 감사했다.

4. 어느 놀이터 (밤)

나란히 그네에 앉아 있는 해주와 현진.

해주	이 시간에, 웬일이래? 바빠 죽는다더니만.
현진	그러게. 시간 참 빠르다.
해주	왜. 팀장이 또 닦달해?
현진	(담담하게 해주 본다) 아니. (다시 앞으로 시선) 그냥. 하루하루가 참 빨라서 너무 소중하네. (다시 해주) 너랑 이러고 있는 시간도 좋고.
해주	(좀 이상하고) 무슨 일 있어?
현진	나… 아직 하고 싶은 거 되게 많은데. 버킷리스트 반도 못 해봤는데.
해주	(슬쩍 불안하지만 애써) 앞으로 하면 되지! 뭔 걱정?

현진   (덤덤하게 남 일 말하듯) 나, 죽는대.

해주   (!!)

현진   위암이래. 4기.

해주   대한민국 위암 수술 1위야. 죽긴 왜 죽어!!

현진   전이됐대 이미. (쓸쓸한 미소)

해주   항암도 있고…. (하는데)

현진   (울 듯 말 듯, 해주 보며 애써 웃는)

해주, 너무나 막막해서 말도 안 나오고. 현진, 꾹 눌러 참다가 서러움에
복받쳐 흐흑‥ 끄끅‥ 울음 터진다. 그런 현진 보며 같이 울음 터지는
해주고.

해주(N)   그러나. 현진이의 '가늘고 길-게'의 꿈은 이루어지지 않
          았다.

다시 현재 »
나란히 앉아 아무 말 없이 조용히 커피 마시는 해주와 동창4.

해주(N)   서른아홉이 두 번은, 어쩌면 현진이 그토록 원하던 삶인
          지도 모른다.

S#3.　카페 (낮)

어느 초여름.

야외 테이블에 앉아 있는 해주와 출판사 편집자. 기획안 보며 이야기 나누고 있는 모습이다. 해주, 그때 현진과 비슷한, 건강한 도시녀 느낌의 여자1 지나가면 눈으로 쫓는다. 살아 있다면 지금쯤 저런 모습이려나‥ 싶고. 상념에 잠긴 해주.

한참 혼자 떠들던 편집자, 해주 보며 "작가님?" 하면- 해주, 퍼뜩 정신 돌아온다. "죄송해요. 뭐라고 하셨죠?" 하면서 다시 회의 이어진다.

S#4.　해주의 집 (밤)

스탠드 조명만 켜져 있는 집 안.

해주, 집 안 어디쯤에서 앨범 보고 있다. 과거 현진, 그리고 동창 1·2·3·4와 다정하게 찍은 사진들이다. 애잔하게 보며 사진 손으로 쓸어본다.

▶ 에필로그

S#5.　카페 (낮)

노트북 열고 일하고 있는 해주. (테이블 위 다 마신 커피잔 놓인)

무심결에 손 뻗어 커피잔 집어 마시는데, 커피가 없다. '다 마셨네, 한 잔 더 사 와야지' 하며 일어서려는데- 노트북 화면에 톡메시지 알림 올라오기 시작한다.

동창1   [대박 뉴스! ○○○ 재혼한대!!!]

동창2   [웬일이야~ 공개 열애 인정하더니 재혼하네?]

동창3   [한 번 가기도 어려운 사람도 있는데, 서러워서 살겠냐.]

해주, 피식 웃으면서 메시지 입력한다.

해주   [서른여덟, 서른아홉도 두 번씩 사는데 결혼이 뭐 대수라고.]

동창4   [근데 ○○○, 현진이 이상형이었는데.]

잠깐 조용해진 단체 대화창. 해주, 현진이란 이름에 뭉클해지고.

동창1   [이 꼴 저 꼴 안 보고! 쟤 재혼 소식 들었으면 오현진 지금쯤 난리 났
            을걸?]

동창3   [ㅋㅋㅋㅋㅋ 맞아 맞아. 걔 뒷목 잡고 벌써 쓰러졌을 거다.]

동창2   [저 나라에 ○○○ 같은 인물 하나 없겠냐? 잘 만나서 꽁냥꽁냥 깨
            볶아 먹고 있겠지 뭐.]

해주   [그거 기억나냐? 현진이 전 남친이랑 싸울 때, 이단 옆차기 날렸던
            거.]

동창1·2·3·4 [ㅋㅋㅋㅋㅋㅋㅋ]

해주   [그 남친 몰랐잖아. 현진이 태권도 유단자인 거.]

현진에 대한 기억과 추억의 이야기들 주르륵, 끊임없이 이어지고.

해주(N) 주어진 삶을 살아낸다는 것. 조금 모자라더라도 오늘을
        산다는 것에 만족하고 누리는 삶. 우리는 그렇게, 살고 있
        다. 서른아홉을 두 번.

▶ 주요 장면 리플레이

Episode 8

흔한 현실 남매의
찐사랑

누나와 남동생, 오빠와 여동생… 이상적인 남매 이야기는 없을까? TV 드라마
속에서 열연 중인 아역 출신 배우의 모습을 보며, 해주와 민경은 제 옆에 있는
남동생들의 모습에 씁쓸함을 감추지 못한다. 이 동생들… 세상 덜떨어진 인
물들로 보이니 말이다. 그러나 좀 모자란 남동생들도 할 땐 한다! 때문에 드
라마보다는 현실 남매의 우정이 찐이라는 걸 새삼 느끼는데.

S#1. 민경의 집 (낮)

거실에서 드라마 시청 중인 해주와 민경. 드라마 배우(아역 출신에서 성장한)의 열연에 감탄 중이다.

민경   진짜 잘 컸네 잘 컸어.

해주   내 꺼 하자~ 컴 온! 내가 널 사랑해~

민경   나이 차가 얼만데, 양심도 없냐?

해주   결혼을 하재, 뭘 하재- 저런 남동생 하나 있음 좋겠다, 싶은 거지.

그때, 민경의 동생 지한이 자다 깬 차림(추리닝에 눌린 머리)으로 나온다. 해주 보며 "누나 왔어?" 하며 주방으로. 냉장고 열고 생수통 꺼내 그대로 입 대고 마신다.

민경   (주방 쪽에 대고 버럭) 야!! 입 대고 먹지 말랬지! 몇 번을 말해!! 처맞아야 정신을 차리지. (으휴)

지한   (생수병 뚜껑 닫으며 / 별생각 없이) 아. 쏘리.

민경   (저걸 그냥··!)

지한   (생수병 들고 자기 방으로 가며) 나한테 신경 좀 꺼. 그러다 주름살 팍팍 는다!

민경   야!!! 오늘 너 죽고 나 죽자 그냥!! (일어서려고 하면)

해주   (민경 주저앉히고 / 지한에게) 이따 부르면 나와. 밥 먹게.

지한, "응" 대꾸하면서 '왜 저래' 하는 시선으로 민경 보고 방으로 들어간다.

해주   지한이도 집에서는 저렇구나.

민경   밖에서나 멀끔하지 (어휴) 미친다 아주. 저거 좋다고 쫓아다니는 여자애들한테 다 폭로하고 싶다니까? (으허!)

해주   우리 집에도 (지한 방 턱짓) 비슷하게 손 많이 가는 것들이 두 마리나 있지.

민경   (알고도 남지‥ / TV 속 배우 보며) 쟤도 그러겠지?

해주   (으쓱) 모르지.

민경   (배우) 넌 아니지? 응? 제발 아니라고 해. 이 누나를 실망시키지 말아줘~~

해주   (그게 무슨 의미가 있니‥ 절레절레)

S#2.   해주의 시골집 (낮)

명절 풍경.

주방에서 음식 장만에 분주한 희정 보이고. 그 아래로 신문지 깐 바닥에 전 부치고 있는 해주. 윤제, 늘어진 티셔츠에 반바지 입고 슬렁슬렁 주방 쪽으로- 해주 옆에 쪼그리고 앉아 방금 부쳐낸 전 날름 집어 먹는다. 찌릿- 노려보는 해주고.

해주	씻지도 않고 더럽게! 저리 안 가!?
윤제	(능글맞게 웃는) 뭘 씻어. 집인데. (하나 더 집으려고 하면)
해주	(윤제 손등 탁 친다) 만지지 마. 더러워! (밀치며) 저-리 좀 가.
윤제	진짜 치사하게. 누님 지난 과거를 어떻게, 좀 떠올리게 해 드려봐?
해주	(슬쩍 날 선) 나 뭐. 왜.
윤제	많을 텐데~ (능글능글 웃으며 전 집어 냉큼 입에 쏙 넣는)
해주	엄마! 얘 좀 어떻게 해봐. 짜증 나 진짜!!

일각으로 작업복 입은 동일(해주 아빠), 현관 쪽으로-

희정	(본다 / 아휴!) 지겨워. (나가려는 동일에게) 여보! 이것들 좀 다 데리고 나가. 정신 사나워 죽겠어 아주. 과수원 일 좀 부려먹던가 해!!
동일	쟤들이 뭘 할 줄 안다고. 데리고 나가봐야 치다꺼리나 하지. (나가는)
희정	(들고 있던 국자 들어 때리는 시늉 / 윤제에게) 너 저리 안 가!
윤제	(전 집어 들고 냉큼 거실 소파 쪽으로 도망가는)
희정	개똥도 약에 쓴다는데, 대체 언제 철이 들어!!!
윤제	(희정에게) 개똥이니까 약에나 쓰지. 나는 되-게 요긴하게 쓸걸? 그리고 철 들면 무거워 어머니.
희정	(그걸 말이라고…!) 말 한번 정답게 한다!

그때, 까치집 진 머리로 방에서 나오는 재성, 목 긁적이며 윤제 옆으로 앉는. 두 형제 함께 TV 보며 키득댄다. 해주, 두 남동생 나란히 앉은 모습 보는 데서.

해주(N)   그랬다. 저것들을 이렇게 만든 건‥ 전적으로 다- 내 탓이다.

플래시백 »
1. 해주의 집 (낮)

거실에서 컴퓨터 게임하고 있는 고등학생 윤제. 20대의 해주, 화장실에서 급하게 뛰쳐나온다.

해주   장윤제! 슈퍼 좀 갔다 와.

윤제   (게임 홀릭) 지금 바빠. 누나가 가. (게임 / 아 거기, 거기! 들어가야지!)

해주   (말 안 듣지? / 컴퓨터 코드 플러그 뽑는)

모니터 팍! 나간다.

윤제, '지금‥ 무슨 일이 일어난 거지‥?' 잠깐 멘붕 상태였다가-

윤제   (버럭) 뭐 하는 거야!!

해주   (만 원 지폐 불쑥) 생리대. 날개 달린 걸로. 중형.

윤제   (벙찌고)

해주   남은 돈은 너 갖고.

윤제   미쳤냐?! 그걸 왜 나보고 사 오래??!!

해주   그럼, 이 다급한 상황에 내가 가리?

윤제   누나 너 이러는 거 남친은 아냐?

해주   걱정 마. 걔는 알아서 사다 주니까.

윤제   잘됐네. 남친한테 사 오라 그래.

해주   급하다고 했지! 빨랑 안 가?! (등짝 스매싱)

윤제   (아얏) 쫌! 미리 사다 두든가!! (아픈 등 움찔하며) 다른 여자
         들도 누나 같으면, 차라리 남자를 사랑하고 만다 내가!!

윤제, 신경질적으로 팩- 하고 일어서 나가면서 "나 성인만 돼봐! 복수
할 거야!!" 외치고. 해주, 가소롭단 듯 피식 웃는다.

2. 해주의 집 현관 앞 + 거실 (밤)

아파트 복도. (복도식 아파트)

피곤한 얼굴로 걸어오는 30대의 해주. 도어락 누르려는데 현관문 손
잡이에 예쁘게 포장된 쇼핑백 걸려 있다. 해주, '이게 뭐지‥?' 하며 가
지고 집으로 들어간다.

거실.

철퍼덕 앉아 쇼핑백 요리조리 돌려보는 해주. '뜯어봐?' 호기심에 눈

반짝이며 쇼핑백 안 상자 꺼내본다. 상자 뚜껑 열면 정성스레 포장한 초콜릿 보이고, 그 위로 러브레터 놓여 있다. 해주, 초콜릿 하나 꺼내 입에 쏙 넣고 러브레터 꺼내 뒤로 벌러덩 누워서 읽는다.

해주   재성이에게? (귀엽네 이것들.. 하면서 풋- 웃다가) 쪼끄만 게, 하란 공부는 안 하고 벌써부터 연애질이나 하고 말이야~ (옆구리 쪽에 놓인 초콜릿 상자 한쪽 팔로 쓰윽 끌어오는 / 상자 안에 손 뻗어 초콜릿 입속에 쏙 넣는)

점프컷 »
TV 보며 깔깔대는 해주. 그 옆으로 텅텅 빈 초콜릿 상자와 펼쳐진 편지 보이고. 현관에서 거실로 들어오며 "다녀왔‥" 인사하다가 해주 옆에 놓인 상자와 편지지 보고 후다닥 그쪽으로 가는 고등학생 재성.

재성   이, 이거 내 거 아냐?!
해주   (시선은 TV에) 어. 편지 왔더라.
재성   읽었어?
해주   (재성 빤히) 읽었으면?
재성   (짜증 내며) 내 걸 누나가 왜 읽는데!! (빈 상자) 그리고 내 선물을 누나가 왜 먹어!!
해주   (재성 이마 톡 치며) 쪼끄만 게 까분다 아주. 너 오늘 시험 봤지. 점수 내놔봐.

재성   여기서 그게 왜 나와?

해주   (으허) 하란 공부는 안 하고 어? 벌써부터 연애질이나
        하고.

재성   아 꼰대!!

해주   그래, 나 꼰대다! 억울하면 나보다 먼저 태어나지 그
        랬냐-

재성   (아오!! / 쿵쿵 발 구르며 자기 방으로)

재성의 뒤통수 보며 큭큭큭큭 뒹굴면서 웃는 해주고.

해주(N)   그땐 몰랐다. 이렇게 처절히 복수당할 줄은.

다시 현재 »

TV 보면서 킬킬킬 웃는 윤제와 재성의 모습. 옅은 한숨 뱉는 해주. 해
주 한숨 소리에 요리하다 말고 돌아보는 희정이고.

희정   아니 저것들을 시켜야지, 그걸 혼자 언제 다 하고 있어?
        (윤제, 재성) 니들 진짜 싹 긁겨버린다?! 와서 거들어! 이
        웬수들아!!

희정의 버럭 소리에 윤제, 재성 마지못해 주방 쪽으로-

윤제   뭐 하면 되는데.

희정   너 누나 옆에서 전 부쳐.

재성   그럼 나는?

희정   김치냉장고 가서 김치 한 통 꺼내 와.

재성, 김치 가지러 간다. 윤제, 해주 옆에 앉아 위생 장갑 끼고 전 부칠 준비한다. (반죽에 밀가루 입히고 계란물 묻히고)

해주   엄마.

희정   왜.

해주   엄마 아들들은 왜 이렇게 이상해?

희정   뭐? (무슨 뚱딴지같은 소리야)

해주   너-무 이상해. 얘네들.

윤제   나 지극히 정상이거든. (계란물 묻힌 반죽 프라이팬에 넣는) 여기서 제일 이상한 사람이 누나 너야. (프라이팬 보며) 다 타네! 뭐 해? 빨리 뒤집어.

해주   (아고야! / 전 뒤집는)

윤제   (희정) 우리 어머니 참 불쌍타. 하나밖에 없는 딸이 너-무 이상한 또라이라서.

해주   죽을래? (들고 있는 뒤집개 윤제 머리 쪽으로)

윤제   (어림없다는 듯 턱 잡는 / 빙글 웃으며) 우리 이상한 거 다 누나 한테 배운 거거든? 물은 위에서 아래로 흐른다-

해주   까불지! 이거 안 놔? (잡힌 뒤집개 빼내려고 바르작)

윤제   (놀리듯) 싫은데? (ㅋ)

희정   (이것들이 진짜…) 그래! 이-상하게 낳아서 미안하다!

윤제, 해주 잡은 손 놓으며 키득키득 웃고 그런 윤제 노려보는 해주고. '끙…' 못마땅한 듯 소리 내는 희정이고. 김치 통 들고 온 재성, 어리둥절한 얼굴이다.

S#3.   거리 일각 (낮)

잘 차려입은 해주와 윤제와 재성, 티격태격하면서 걷고 있다. "너 때문에 늦었다, 그만 좀 꾸물대라", "누나 너는 성격이 급해터졌다, 좀 여유를 가져라", "빨리 좀 와라" 등등. 그때! 저편에서 남자1, 세 남매 쪽으로 다가온다.

남자1   저기….

해·윤·재   (? / 티격태격하다가 멈추고 동시에 남자 보는)

남자1   아. 저는… (명함 꺼내 내미는) 여기 소속 실장인데요.

해주   (그래서?)

윤제   (으쓱)

재성   (??)

남자1   혹시 모델 데뷔해보실 생각….

해·윤·재   (OL) 없습니다!

남자1   (살짝 움찔했다가) 카메라 테스트라도 한번‥.

해주   곧 사십이에요.

윤제   애 아빠라서.

재성   관심 없어요.

남자1   (움찔) 아‥ 죄송합니다‥. (인사 후 지나쳐 가는)

해주, 윤제, 재성, 누가 먼저랄 것도 없이 "이 누나의 출중한 외모 덕인 줄 알아라", "무슨 소리냐, 저 사람 나한테 눈 못 떼는 거 못 봤냐", "누나 형은 늙어서 아니다. 나 때문이다" 서로 자기 덕이라며 티격태격하다가 깔깔깔 웃음 터지는 세 사람.

S#4.   지하철 안 (낮)

살짝 붐비는 지하철 안.

좌석에 사람들 쫙 앉아 있고, 그 앞에 나란히 서 있는 해주와 윤제, 재성. 윤제, 해주 정수리 부근 슬쩍슬쩍 보는데 머리카락 한 가닥이 반짝인다.

윤제   누나. 머리 좀 이리 대봐.

해주   (심드렁) 왜.

윤제   됐다. 가만있어 그냥.

윤제, 손 뻗어 해주 머리통 끌어다가 자신의 턱 밑에 대고 정수리 부근 열심히 들여다본다.

해주   (뚱) 뭐 하냐‥ 정수리 냄새 맡냐? 향기로워?

윤제   아‥ 집중 안 돼. 여기 새치 있어!

해주   (앞에 앉은 사람들 신경 쓰이고) 동생아~ (복화술) 나 지금 되게 부끄럽거든‥?

해주, 잡힌 머리통 빼내려는데- 윤제, 어림없다는 듯 힘주어 잡는다.
그 앞에 앉은 아줌마가 "커플이 되게 사이가 좋네" 하면. 해주, 억지웃음 지으며 "남매예요‥" 하며 창피해서 미치겠고.

해주   (꾸욱 누르고) 빨리 해라‥.

윤제   (반갑다 새치야!) 찾았다! (톡 뽑는다)

해주   (아얏)

윤제   (뽑은 새치를 요리조리 보는) 와‥ 우리 누나도 이제 진짜 나이를 먹는구나~

해주   좀 닥쳐줄래?

재성   누나 또 있는 거 같은데?!

해주   (꾹 누르며) 시끄러워.

앞에 앉은 사람들, 해주와 윤제, 재성 보면서 킥킥킥 웃고. 해주, '아‥

쪽팔려··.'

해주	지하철 안에서 이럴 일이냐?
윤제	지금 안 하면 언제 해? 딱 보이는데.
해주	(어휴·· 머리야··)
윤제	나 아니면 누가 (새치 흔들며) 이런 걸 뽑아주냐?
재성	맞아. 감사해 누나. 우리 같은 동생들이 어딨어?
해주	(없는 게 나을지도·· / 윤제, 재성 슬쩍 밀치며) 저-기로 떨어져.

윤제, 재성, 투덜투덜하면서 안 떨어지고. 해주, 그런 동생들을 밉지 않 게 흘긴다.

해주(N) 참 좋은 나의 동생들은 굳이 없어도 될 역사를 만들어주 기도 한다. 그것도 흑역사를. 그러나 이런 흑역사까지도 기꺼이 함께 짊어지고 가겠다며 덤비는 우리는···.

▶ 에필로그

S#5. 놀이터 일각 (밤)

가로등 불빛 아래.

해주, 남친과 언성 높이며 격렬하게 싸우고 있다. "넌 내 인생 최악이 다", "꺼져줄 테니까 잘 살아라" 등등. 일각에서 걸어오던 윤제, 소음 들리는 쪽 보면- 해주 뒤통수 보인다. '누‥나?' 갸웃하면서 그쪽으로 걸어간다.

남친   그냥 헤어지자니까!?

해주   바람피우다 들킨 주제에 뭘 잘했다고 이별 통보야?!

남친   (귀찮은 얼굴로 / 혼잣말이지만 해주 들으라는 듯) 미저리야 뭐야?

해주   (날 선) 뭐? 다시 말해봐! 미저리?!

남친   이젠 말귀도 못 알아먹냐? 너 싫다는데 왜 이렇게 질척대냐고.

해주   (분하고 억울하고 / 안 우려고 애쓰는데 잘 안 되고 / 버럭) 이 나쁜 놈아!! (결국 엉엉 울기 시작한다)

그때, 어디선가 날아온 주먹이 남친의 얼굴을 가격하고. 남친, 그대로 나가떨어진다. 해주, 놀라서 보면 윤제다.

윤제   너냐? 우리 누나 울린 새끼가?

남친   (맞은 뺨 감싸 쥐고 윤제 노려본다) 너, 너 뭐야?

윤제   (이걸 확‥!) 뭐긴 뭐야! (해주) 얘 동생이지. (남친) 아, 내 얘기 못 들었을까 봐 말해주는데, 내가 손을 휘둘렀을 때 좀 잘못 나가잖아? 그럼 막 어디 하나가 부러지고 그래.

남친   (살짝 겁에 질리고)

윤제　　그래서 말인데‥ (천천히 남친 쪽으로 / 서늘) 넌 오늘 두 발로
　　　　걸어서 못 가. (다가가는 걸음 빨라지면)

남친　　(허옇게 질린 얼굴로 급하게 일어나서 저 앞쪽으로 주춤주춤)

남친, 윤제 쫓아오는지 보면서 가다가 퍽- 누군가와 세게 부딪히며 그
대로 나뒹군다. 윤제, 도망가는 남친 쫓아가려다 멈칫- 서고. 어디선가
나타난 재성이 그 앞에 서 있고.

재성　　(험악 / 남친 내려다보며) 니가 우리 누나 울렸냐?

남친　　(넘어진 상태로 뒤로 주춤주춤)

남친, 뒤돌아보면 다부진 체격의 윤제가, 앞에는 185센티미터의 기골
이 장대한 재성이 떡 버티고 있는 상황.

남친　　신, 신고한다?!

윤제　　신고해 새꺄! (하면서 덤비려는데)

해주, 윤제 팔 잡는다. 윤제가 보면- 해주, 가지 말라는 듯 눈물 그렁한
얼굴 흔든다. 윤제, 환장하겠고.

윤제　　(재성 보며) 그냥 보내. 저 찌질한 놈. 주먹도 아깝다.

재성　　(남친 향해 눈 부릅뜬다) 이 시간 후로 우리 누나 앞에 알짱

대다 걸리면 죽는다 진짜. 빨리 꺼져.

남친, 일어나다 다리에 힘 풀린 듯 자빠질 뻔하고. 그런 남친 모습 한심하게 보는 윤제와 재성. 남친, 가까스로 일어나 겁에 질린 채 도망간다. 도망가는 남친 뒤통수 보며 주저앉아 엉엉 우는 해주고.

윤제   (버럭) 넌 뭘 저런 생기다 만 놈 때문에 우냐? 눈물이 아깝다!

해주   (뭔가 억울하고 서럽고, 그대로 엉엉 운다)

윤제   (속상하고) 내가 못 산다 진짜…. (하면서 해주 쪽으로)

재성   (착잡하게 한숨 푹 쉬며 해주 쪽으로)

윤제, 재성, 해주 옆에 양쪽으로 철퍼덕 앉아 토닥토닥 해주 달랜다.

해주(N)   좋은 게 있으면 가장 먼저 챙겨주고 싶고, 나쁜 일 앞에선 전적으로 서로가 서로를 지켜주는 존재. 무엇도 끊을 수 없는 세상 찐-한 남매 사이다.

주요 장면 리플레이

가끔 아무도 모르게 내다 버리고 싶을 정도로 지긋지긋한 게 가족이다.
참 아이러니한 건 '누가 나 좀 도와줘…' 하는 절규에 가까운 마음의 데시벨에
가장 민감하게 반응하는 단 하나의 존재라는 것.

민경이가
민경했다

해주의 친구들은 대개 조용한 편이다. 그런데 한번 잘못 건드리면 내면 깊이 잠들어 있던 본능이 튀어나온다. 그중 민경이는 욕을 못 한다. 욕하는 걸 세상에서 제일 싫어하고, 욕 듣는 건 그다음으로 싫어한다. 어느 날 운전하던 중 한 택배 차량과 사고가 날 뻔한 민경, 가까스로 사고는 면했는데 놀란 가슴을 쓸어내릴 새도 없이 택배기사가 민경에게 심한 욕을 퍼붓고 그 자리를 떠났다. 속이 부글부글 끓어오른 민경이는 곧바로 택배기사를 쫓아간다.

S#1.   편의점 일각 (낮)

택배 트럭 노려보며 서 있는 민경. 두리번대며 뭔가 찾는다. 그때! 눈에 확 보이는 것, 짱돌이다. 천천히 짱돌 집어 들고 손 위에서 놀리는 민경. 택배 트럭 보며 씨익 웃더니 짱돌 든 팔을 휘휘 돌리면서 그대로 훅 던진다. "와그작창창" 택배 트럭의 조수석 사이드미러 그대로 박살 난다. 짱돌 한쪽으로 툭 던지고 탁탁 손 터는 민경, "별것도 아닌 게‥ 사람 열받게 하고 있어" 하며 돌아서려는데-

택배기사(E) 누구야! 어떤 미친놈이 이랬어?!

민경   (확 돌면 씩씩대는 택배기사 보이고 / 담담하게) 전데요.

택배기사 너 뭐야? 어?!

민경   (택배기사 쪽으로 성큼성큼)

택배기사 (뭐야‥ 저 미친X 하다가, 무섭게 걸어오는 민경 보고 뒤로 주춤)

민경   (택배 코앞에 얼굴 들이밀며 / 뚱) 왜요. 뭐요.

택배기사 (당황 / 박살 난 사이드미러) 저거 어, 어떻게 할 거야? 어? 어
          떡할 거냐고!

민경   (스윽 / 박살 난 사이드미러 쪽으로) 어머! 어쩜 좋니? (주워 들
          고 쓰담쓰담) 너 많이 아팠겠구나? 주인을 잘못 만나서 어
          쩌니‥ 불쌍하기도 하지.

택배기사 (어이없고) 저거 완전 또라이 아니야?!

민경   (이 아저씨 안 되겠네‥ 다시 택배 쪽으로) 자꾸 그렇게 야, 너,
          싸구려 언어를 쓰시는데… (빤히) 나, 아세요?

택배기사 (민경 기세에 살짝 쫄았다 / 괜스레 큰소리) 그러니까! 누가 운
전을 그따위로 하랬어?!

민경 (운전석 쪽 사이드미러 확 보며‥ 저것도 마저 박살을 내? 말아?)

인서트 »

1. 도로 위 (낮)

20분 전. 교차로에서 직진 신호의 차들 쌩쌩 달리고 있다.

2. 민경 차 안

비보호 좌회전 차로에 있는 민경, 직진 차선 지나는 차들 뜸한 틈 보고
있다. 차들 웬만큼 지나가고, 저 멀리 택배 트럭 오는 게 보인다.

민경, 이때다! 핸들 꺾어서 좌회전으로 들어가려는데! 어느새 다가온
택배 트럭, 빠-앙! 클랙슨 울린다. 끼이이익-!! 종이 한 장 차이로 선 민
경 차와 택배 트럭.

민경, 놀란 가슴 쓸어내리는데 택배 트럭 빵! 다시 클랙슨 울린다. 택
배기사에게 미안하다고 운전석 쪽 창문 내리는 민경이고.

택배기사 (조수석 쪽 창문 급하게 내린) 야!! 너 미쳤어! 바빠 죽겠는데,
왜 기어 나와서 난리야?! 어? 운전 그따위로 할 거면 집
구석에 처박혀 있든가! (혼잣말이지만 들으라는 듯) 진짜 재
수가 없으려니까.

민경 (내가 지금 뭘 듣고 있는 거지‥? 벙찐)

택배기사, "운전 똑바로 해!" 거칠게 차 돌려서 간다.

민경, 기막혀 실소 터뜨리더니 "넌 디졌어" 서늘하게 웃으며 쫓아간다.

다시 현재 »

민경   (덤덤하다) 보험 처리하세요.

택배기사 너, 너 딱 기다려!

민경   (으쓱)

택배기사 너 같은 건 매운맛을 봐야 정신을 차리지! (핸드폰에 112 누
       르고 통화 버튼 누르려는데)

민경   (편의점과 택배 트럭 스윽 보며) 아, 이 편의점 본사에 말하면
       되겠구나?

택배기사 (!)

민경   이런 대기업에서는 인성 교육을 하는 거야 마는 거야. (핸
       드폰 꺼내서 편의점과 택배 트럭, 기사 한 장에 담기게 사진 찰칵
       찍고 확인) 잘 나왔네.

택배기사 (!! / 언제 그랬냐는 듯 멋쩍게 웃는데 비굴하다) 아‥ 저기요.

민경   네?

택배기사 저기‥. (쭈뼛쭈뼛)

민경   (핸드폰에 시선 두며 서늘하게) 말씀하시죠.

택배기사 아까는 제가 좀 과했어요. 미안, 합니다.

민경   (기막혀 웃는)

택배기사 (두 손 비비적대며) 일정이 급한데다가‥ 이게 또 회사 차량

이라 좀 예민해져서…

민경   아저씨.

택배기사 (본다)

민경   혹시 결혼하셨어요?

택배기사 …네.

민경   자녀도 있어요?

택배기사 …네.

민경   그럼 제가 아저씨 딸이라고 한번 생각해보실래요?

택배기사 (뜨끔)

민경   도로 위에서 어떤 낯선 사람한테 이렇게 욕먹었다고 생
          각해보세요.

택배기사 그게… 저…. (할 말 없고)

민경   사이드미러 값은요, 우리 엄마 아빠한테 미안한 값이에
          요. 귀하게 키워주셨는데 이렇게 욕먹고 다녀서 죄송하
          다는, 최소한의 마음이요.

택배기사 …정말 미안, 합니다….

민경   다시는 이러지 않으셨으면 좋겠네요. (돌아서려다 / 사이드
          미러) 보험 처리 꼭 하시고요, 놀라게 해드려서 저도 죄송
          합니다. (꾸벅하고 돌아서는)

S#2.　해주의 작업실

안경 쓰고 책상 앞에 앉아 노트북으로 원고 쓰고 있는 해주. 핸드폰 진
동 울린다. 발신자는 '민경'이다.

해주　　　(받으며) 어.

민경(F)　배고파 밥 먹자.

해주　　　(안경 벗으며) 넌 배고프면 내 생각이 나는 거냐~ 내 생각
　　　　　이 나서 배가 고픈 거냐?

민경(F)　그게 그거지.

해주　　　(시간 보면 오후 4시쯤) 아직 한 끼도 안 먹었어?

민경(F)　아니, 2시간 전에 먹은 거 다 소진했어.

해주　　　또 뭐, 한판했냐?

민경(F)　엄청.

해주　　　(절레절레) 뭐 먹고 싶은데.

민경(F)　고기.

S#3.　고깃집 (저녁)

숯불 불판 위, 삼겹살 지글지글 익고 있다. 해주, 물컵에 물 따라서 민
경의 앞에 놔준다.

해주　　　그래서, 마무리는 잘한 거야?

민경	(마시고) 그렇지 뭐. 얼굴이 완전 하얗게 질려서는 죄송하다고 하더라.
해주	(고기 뒤집으며 손 놀리는) 서민경이 서민경했구나. YOU WIN. (엄지척 제스처)
민경	(익은 고기 젓가락으로 집어서) 승리를 기념하며!
해주	(ㅋ) 오늘의 전리품이냐?
민경	당연하지! (고기 호호 불어 입에 넣고 / 아뜨뜨‥) 맛있어 맛있어.
해주	(픽) 마~이 먹어라. (민경 앞쪽으로 익은 고기 밀어준다)
민경	내가 말했지? 싸움의 국룰, 무조건 먹고 본다. (상추에 고기 두 점 얹는)
해주	(픽- 민경 따라서 상추 들고 고기 두 점 얹는다)

동그랗게 싼 쌈을 손에 든 해주와 민경, 쌈으로 "짠!" 부딪치고 입에 쏙 넣는다. 해주와 민경, 양 볼이 빵빵하게 꽉 찬 쌈 우걱우걱 먹는 서로를 보며 웃는다.

▶ 에필로그

S#4.   해주의 집 앞 놀이터 (낮)

해주, 일광욕하듯 그네에 앉아 하늘 보면서 쭈쭈바 먹고 있다.
저쪽에서 투닥투닥 말다툼 소리 들린다. 소리 따라 시선 옮기면, 초등학생 1학년쯤 되는 아이1(남), 아이2(여)가 일각에서 싸우고 있다.

아이1   오늘은 우리 집에 가서 게임하기로 했잖아!

아이2   아니야! 키카˚에 가기로 했어!

아이1   거짓말쟁이!

아이2   (울먹) 거짓말 아니야! 어제 키카에 가서 놀기로 약속했
        잖아!

아이1   내가 언제!

아이2   (억울한 듯 울음 터뜨린다)

해주, 쭈쭈바 입에 물고 '귀엽네 쟤네들‥' 하면서 아이들 싸움 가만히
보고 있다. 그러다 그네에서 천천히 일어난다.

점프컷 »

놀이터 일각.

아이2는 여전히 울고 있고, 아이1은 뻘쭘하게 서 있다.

양쪽 어깨 밑에 종류 다른 과자 두 봉지(새우깡, 포카칩 정도) 끼고 있는

해주, '아직도 저러고 있네‥' 하며 아이들 쪽으로-

해주   내가 싸움 잘하는 방법 알려줄까?

˚ 키즈 카페를 줄여서 표현한 말

아이1   (경계) 누구‥세요?

아이2   (울음 그치고 본다)

해주   (생글) 나? 동네 주민.

아이1·2   (동네 주민? 갸웃)

해주   (아이들 눈높이에 맞춰 구부리고 앉아 아이1·2를 한 번씩 본다) 근
          데, 누구 말이 맞는 거야?

아이2   애가 내 말을 안 믿어요! 거짓말 아닌데!

아이1   그런 적 없는데 재가 자꾸 말을 지어내요!

해주   (워워‥) 누구 말이 맞는지 아직 결판 안 난 거지?

아이1·2   (서로 노려본다)

해주   (귀여워서 픽- / 들고 있던 과자 봉지 내밀고) 하나씩 골라봐.

아이1·2, 고민하다가 하나씩 집어 든다.

해주   그거 잘 먹는 사람이 싸움에서 이긴다?

아이1   거짓말. 과자 잘 먹는다고 싸움 잘하는 게 어딨어요!

해주   거짓말 아닌데.

아이2   진짜예요?

해주   응.

아이2   (과자 먼저 뜯어서 먹는)

아이1   (뜯을까, 말까)

해주   나 이상한 사람 아니야~ 그거 먹어도 안 죽어.

아이1   (결심하듯 과자 뜯어서 한 주먹 쥐고 입으로 욱여넣는다)

해주   (픽) 먹고 힘내 얘들아~ (일어나 가며 / 한쪽 팔 주먹 쥐고 하늘
로 높이 뻗는) 이기는 편 우리 편! 이기는 편 우리 편!

점프컷 »

해주, 벤치에 앉아 저만치 있는 아이1·2 보고 있다.

아이2   그거 맛있어?

아이1   (봉지 불쑥 내민다) 먹어.

아이2   (헤헤 웃으며 아이1이 내민 과자 집어 먹고, 내 거도 먹어보라는 듯
자기가 먹던 과자 봉지 내민다)

아이1   (먹고 씨익 웃는다)

아이1·2, 과자 나눠 먹으며 사이좋게 조잘대고 있다.

해주(N)   민경이가 말한 싸움의 국룰이란, 어쩌면 상대보다는 내
마음의 상처를 보듬는 시간인지도 모르겠다. 치열하고
지난한 그 시간들에서 나를 해방하는 시간.

주요 장면 리플레이

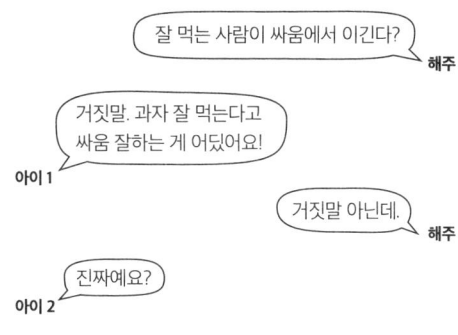

잘 먹는 사람이 싸움에서 이긴다?

해주

거짓말. 과자 잘 먹는다고
싸움 잘하는 게 어딨어요!

아이 1

거짓말 아닌데.

해주

진짜예요?

아이 2

민경이가 말한 싸움의 국룰이란,
상대보다는 내 마음의 상처를 보듬는 시간인지도 모르겠다.

함부로 작가답게

방송작가의 삶을 내려놓고 쉬기로 한 해주. 내 몸이 바스러져도 돌볼 수 없고, 가족이 아파도 남의 손에 맡겨야 하는 방송판의 현실에 염증이 났기 때문이다. 그러던 어느 날 선배 작가인 설란의 연락을 받는다. "수술 부위가 터졌어‥ 한 주만 방송 메꿔줄 수 있을까?" 거절을 할까 하다, 선배의 목소리에 어쩐지 눈물이 왈칵 올라온다. 작가의 삶에 대해, 애환에 대해, 선배와 이야기를 하던 해주는 결국 선배의 일을 수락하는데.

S#1.　해주의 집 베란다 (낮)

어느 봄.

순한 연둣빛 싹이 올라오는 화분들을 신기하게 보고 있는 해주. (화분들과 눈 맞추고 있는) '어떻게 제가 피어야 할 때를 딱 알고 찾아오지? 고 놈들 참 기특하다‥' 싶고. 그때, 핸드폰 진동 울려서 보면 '설란 언니'다. 반가워하는 해주.

해주　　 (받는) 오랜만이에요 언니. 잘 지내세요?

설란(F)　잘‥ 못 지내. (ㅎㅎ‥) 나 입원했어.

해주　　 (!) 어디 안 좋아요?

설란　　 **인서트 »** (병실 침대에 누워 있다) 얼마 전에 충수염 수술했는데‥ 수술 부위가 터져서 재수술했어. 수술한 날이 원고 쓰는 날이었거든‥.

해주　　 (하아‥) 아픈 언니한테 할 말은 아니지만‥ (새싹 주위로 보이는 마른 잎 톡 뗀다) 진짜 이럴 때마다 방송 일 너무 싫어져‥.

설란　　 **인서트 »** (자조 섞인 픽-) 우리 일이 그렇지 뭐.

해주　　 누가 방송작가 한다고 그러면 무조건 뜯어말릴 거야.

설란(F)　제발 그래라. (피식) 그리고‥ 너 되-게 싫어하는 부탁, 지금부터 할 생각인데.

해주　　 (뭔지 알겠고) 언니 생각만 해. 하지 마요. 나 안 해. 안 할 거야. 진짜 안 해.

설란(F)   매정한 것‥ 선배가 아프다는데‥ 듣지도 않고 거절부
          터야?

해주   (좀 미안하고) 얘기해요.

설란   **인서트 »** 해주야‥ (왠지 서럽고) 언니 한 번만‥ (애써 누르
          며) 살려줄래?

해주   (!!)

해주, 뭔가 울컥하고 올라와 눈물 그렁해진다.

해주(N)   설란 언니가 말했다. 살려, 달라고.

인서트 »

1. 과거 응급실 (밤)

파리한 얼굴의 해주, 팔에 링거 바늘 꽂은 채 응급실 침대 위에 앉아
노트북으로 일하고 있다. (노트북은 침대에 붙은 접이식 테이블에 놓여 있다)
그때, 핸드폰 진동 지잉- 울리면 화면 가득 수십 통의 전화와 메시지들
목록 주르륵 보이고. 화면 꺼질 때쯤 다시 진동 울린다.

해주   (받는 / 듣는) 저기 피디님. 나 지금 링거 바늘 꽂고 자막 뽑
          는 중이에요. (듣다가 버럭) 못 기다리겠으면 니가 뽑으시
          던가요!! (끊고 / 그대로 접이식 테이블에 엎어져 엉엉)

다시 현재 »

한 손에 핸드폰 들고 설란과 통화 중인 해주, 다른 손으로 눈물 스윽 닦는다.

설란(F) (눈물 참는 듯 목메인) 이걸 계속해야 하나 싶다가도. 그래서 다 때려치운다, 생각하잖아? 그럼 또 내 인생이 되게 서럽다?

인서트 »

2. 과거 해주의 집 (낮)

TV로 방송 모니터하고 있는 해주, 저걸 만든다고 이 개고생을 했구나.. 싶고. 방송 끝나면서 스태프 스크롤 나가면, 작가진 제일 처음에 '장해주' 이름 지나간다.

해주 그래! 개고생이건 생고생이건 이 맛에 방송하는 거지! 내일도 죽도록 살아보자!!

다시 현재 »

해주, 조금 전 화분에서 떼어낸 마른 잎 조각 보는.

해주 (마음먹었다) 한 주면 돼요?
설란(F) 더 해달라고 해도 안 해줄 거면서.

해주   맞아. 더 해달라고 해도 안 해줄 거야. 그러니까 빨리 나
        아요, 언니. 내가 땜빵 더 한다고 하면 빨리 나을 것도 안
        나아. (픽)

설란(F)   고맙다. 밥 살게.

해주   진짜 비싼 밥 먹을 거야 나.

설란(F)   그래~ 기대할게.

해주, 전화 끊고 화분의 새순 톡톡 건드려본다. 햇볕에 반사돼 반짝
이는.

해주(N)   설란 언니의 살려달라는 말은·· '살고 싶다'였다.

S#2.   몽타주

1. 어느 병실 (낮)

환자복 입고 있는 문 작가, 침대 간이 테이블에 노트북 켜놓은 채 다다
다다·· 키보드 두들기며 열일 중이다.

해주(N)   손가락 신경이 다쳐 수술한 날. 문 작가는 마취도 깨기 전
        에 촬영 구성안을 써야 했고,

2. 어느 어린이집 (밤)

텅 빈 어린이집 교실 안.

어린이집 교사, 장난감 치우는 등 정리 중이다. 헐레벌떡 뛰어 들어오는 최 작가.

선생님   늦으셨네요 어머님.

최 작가   네‥ 죄송해요 선생님‥. (두리번-) 우리 애린이는요?

선생님   (어디쯤 보며) 방금 전까지 저기서 놀고 있었는데‥. (애린이 부르려고 하면)

최 작가   (저지하듯) 제가 가볼게요. (애린이 쪽으로)

애린이 놀고 있었던 곳 가보면, 한쪽에 웅크리고 잠들어 있는 아이 보이고. 울컥- 금방이라도 눈물이 북받쳐 오를 것 같은데 감정 누르는. 최 작가, 다가가서 아이 조심스럽게 안아 올리는 데서-

애린   (잠결 / 최 작가 목 끌어안으며) 엄‥마?

최 작가   응. 엄마 왔어. (아이 등 토닥이는)

애린   왜 이렇게 늦게 왔어‥ 친구들은 다 갔는데‥.

최 작가   엄마가 미안해‥ 내일은‥. (하는데 약속 지킬 자신 없고 / 아이 등 쓸며 애써 웃는) 일찍 올게.

딸 끌어안고 입술 꾹 물며 눈물 참는 최 작가고.

해주(N) 최 작가는 늘 딸아이를 외롭게 만드는 엄마였으며.

3. 어느 수술실 앞 (밤)

아홉 살 남자아이 누워 있는 수술 침대 다급하게 끌고 와 수술실로 들어가는 의료진들. (아이 끙끙 앓고 있다) 신 작가, 수술실 들어가는 아이 애처롭게 보고. 그때 핸드폰 진동 울린다. '박 피디'다.

신 작가   (받는 / 듣고) 새벽까지는 될 것 같아요. 네네. 대본 보내고
         연락드릴게요. (끊는)

신 작가, 수술실 앞 벤치 쪽으로- 가방에서 노트북 꺼내 무릎 위에 올리고 덮개 여는. 투둑- 손등 위로 눈물 떨어지면, 눈물 쓱쓱 닦고 '정신 차리자‥!' 두 뺨 탁탁 친다. 마음 추스르듯 눈 한 번 감았다 천천히 뜬다. 얕은 심호흡하며 키보드 두드리기 시작한다.

해주(N)   신 작가는 수술실로 들어가는 어린 아들을 걱정할 시간
          에, 내레이션 대본을 써야 했다.

4. 방송국 사무실 (밤)

벽시계, PM 10시가 훌쩍 지난. 해주, 노트북 앞에서 김밥 우걱우걱 밀어 넣고 있다.

해주(N)   그리고 늘 김밥으로 끼니를 채우던 나는, 언젠가부터 김밥은 처다보지도 않게 되었다.

5. 방송국 앞 (새벽)

어둑한 새벽. 해주와 작가1, 노트북 들고 미친 듯이 뛰고 있다.

경비   거기! 어디 가요!!

해주·작가1(경비 지나치면서) 생방 대본 리딩이요!!

해주(N)   그럼에도 이 길을 포기하지 않고 새벽길을 달렸고.

6. 해주의 침실 (밤)

초췌한 몰골로 침실로 들어온 해주, 옷 입은 그대로 풀썩 침대에 엎어진다.

해주(N)   나의 모든 시간을 온전히 쏟아부었다. 그런데….

S#3.   해주의 거실 + 주방 (밤)

한 예능 프로그램. TV 속, 연예인 MC와 유명 작가의 토크가 한창이다.

MC   베테랑 작가라도 엿가락 뽑듯이 글이 그냥 쭉쭉 나오지는 않잖아요~ 마감 시간은 정해져 있고, 아이디어는 안 나오고‥ 쓰다가 막히면 어떡해요?

유명 작가　쓰다가 막히고, 아이디어는 고갈이고‥ 사실 방법이 없죠. 그 자리에 앉아 있는 거 말고는. 친한 작가들끼리 우스갯소리로 이런 말을 해요. "작품 하나 할 때마다 관절 하나, 장기 하나랑 바꾼다"고요. (하하하하)

MC　　　뭔가 살벌한데요~

유명 작가　살벌해도 그게 작가의 현실이에요. 작품 하나 끝나면 진짜 안 아픈 데가 없거든요. 누워 있는 시간보다 앉아 있는 시간이 더 많을 거예요 아마. 한번은 이런 적이 있어요. 진짜 대사 한 줄이 안 써지는 거예요. 그래서 그날 계속 책상 앞에 앉아서 해가 지고 다시 떠오르는 걸 지켜보기만 했던 거 같아요.

주방 쪽에서 멍하니 예능 프로그램을 보던 해주, 들고 있는 약봉지 내려다본다.

해주(N)　위장병은 고질병이 된 지 오래고, 오래 앉아 있는 탓에 허리와 무릎 연골의 수명을 갉아먹는 인생.

S#4.   미용실 + 미용실 앞 (낮)

미용실 가운 입고 의자에 앉아 있는 해주. 헤어 디자이너, 해주 두피 유심히 살피더니-

디자이너 오늘 파마 안 되겠는데요?

해주   네‥? 왜요?

디자이너 빨긋빨긋 열꽃이 엄청 폈네‥ 자극 가하면 두피 완전 상해요.

시간 경과 »

미용실 나오는 해주, 허탈하게 웃는다.

해주(N)   누군가는 작가라는 타이틀 앞에 오만가지 환상을 품지만, 왕관의 무게는 언제나 무거운 법이다.

S#5.   해주의 침실 (밤)

스탠드의 은은한 불빛 감도는 침실. 침대 헤드에 기대앉아 책 읽는 해주.

해주(N)   그리고 모든 것에 염증을 느낀 나는, 방송을 잠시 떠나기로 했다. 그렇게 3년쯤 지난 어느 날.

S#6.　해주의 작업실 (낮)

책상 앞에 앉아 있는 해주. 노트북으로 드라마 보고 있는데 초몰입 상태다. 노트북 옆에 있는 핸드폰 진동 울린다. '정 피디'다. 해주, '웬일이지?' 하면서 받는다.

해주　　　이게 누구셔~

정 피디(F) 잘 지냈어?

해주　　　그럭저럭.

정 피디(F) 이제 방송할 때 안 됐냐? 일하자!

해주　　　(그러지 뭐 / 흔쾌히) 그래.

정 피디(F) (? / 잘못 들었나 싶고) 나 일하자고 전화한 거야. 제대로 들은 거 맞지?

해주　　　어. 일하자며.

정 피디(F) 너, 말 바꾸기만 해!

해주　　　속고만 살았니?

정 피디와 통화하는 해주, 표정 밝다. 그 위로-

해주(N)　나는 다시 이 지난한 방송 세계로 돌아왔다. 왜냐고? 살기 위해서. 지긋지긋한 염증 끝에 발견한 건 그리움이었으니까.

S#7.   세트장 (낮)

수십 대의 카메라 세팅돼 있고, 제작진들 분주하게 이리저리 움직이는 모습들 보이고. 연출팀, 모니터 보면서 카메라 위치 잡는. 해주, 작가들과 대본 보면서 체크 중이고.

해주(N)   방송작가로 복귀 후. 나는 한 달 반 만에 4킬로그램이 빠졌다. 그러나 이제는 좀 알 것 같다. 나와 같은 길을 걷는 사람들이 있다는 거, 혼자가 아니라는 거.

녹화 현장.
MC와 게스트들 각자의 위치에서 액션하는 모습 보이고. 해주, 현장 보면서 꼼꼼하게 체크하고 있다.

해주(N)   함부로, 작가답게. 어울리지 않는 문장의 조합이지만, 그래서 조금은 특별한 언어가 되는 것처럼. 작가의 인생을 사는 나에게, 또 작가로 살아가는 '누군가들'에게‥ "당신들이 있어 정말 좋습니다, 고맙습니다."

살자고 선택한 일이었다.
작가로 살기로 결정한 순간부터 그날들은 나의 자부심이었고,
내가 살아가는 힘이었고, 존재의 가치가 되기도 했다.

너에게 난,
나에게 넌

해주와 민경은 30년 지기 친구다. 30여 년의 세월이 주는 힘은 그런 거다. 해주가 샤워하고 있을 때 민경은 아무렇지 않게 화장실로 뛰어 들어와 변기에 앉아 X을 싸기도 하는 사이. 어릴 때만 해도 안 싸우는 날보다 싸우는 날이 더 많았는데. 그땐 몰랐다. 둘이 이렇게 평생지기 우정을 다지게 될 거란 걸. 물론 그때나 지금이나 크게 다르지 않다. 매일 투덕거리고, 작은 거에도 서운해하며. 이게 해주와 민경의 표현법이다. 너에게 난, 나에게 넌, 없어선 안 될 존재라고.

S#1.   초등학교 교정 일각 (낮)

봄날의 교정.

플라타너스들 바람에 사락사락 소리 내며 흔들리고 있다. 그 아래로 "패스해! 패스!", "저기 막아!!" 초등학생 남자아이들, 축구하느라 뛰어다니는 모습. (파란색 유니폼 vs 흰색 유니폼) 그 일각으로 "슛해 슛!", "아 거기가 아니잖아!" 열혈 훈수 두는 해주와 민경.

시간 경과 »

삐익- 호각 소리 들리고, 파란색 팀 환호 소리와 함께 세리머니 펼쳐진다. 해주, "망했네 젠장‥" 고개 푹 떨구고. 깨방정 떨며 "아싸리!! 만세!!" 자기가 이긴 듯 좋아하는 민경이고.

민경   (손바닥 탁탁) 올려놔.

해주   (떨떠름하게 만 원 턱 올려놓고 저 멀리) 그래서 국대˚ 되겠냐!!

민경   (왜 저래‥) 괜히 힘들게 경기 뛴 애들한테 화풀이래. (이마에 딱! 소리 나게 만 원 지폐 붙인다)

해주   (뚱) 떡볶이 사줘.

민경   (놀리듯) 내가 왜에~?

해주   (뾰로통) 상도도 없는 년. 내기에서 돈 땄으면 뽀찌도 좀 챙겨주고 그러는 거지!

˚ 국가대표를 줄여서 표현한 말

민경	그건 돈 딴 사람 맘이지.
해주	니돈니산* 좀 해. 안 그럼 이 못된 망아지가 삐뚤어질 거 같거든. (일어나 걸어간다)
민경	(해주 뒤통수 보며 픽)

S#2. 초등학교 앞 분식점 (낮)

떡볶이, 순대, 튀김, 어묵 등 푸짐하게 놓여 있는 테이블.
해주와 민경, 두 손 모으고 "잘 먹겠습니다!"

민경	(어묵꼬치 들고 한입 크게 베어 물려다 멈칫) 근데,
해주	(떡볶이 + 어묵 + 파 착착 쌓는 중)
민경	딴 돈은 만 원인데 (메뉴판 가격 보고) 어째 손해 보는 거 같단 말이지.
해주	(슬쩍 가격 보고) 이긴 자의 여유 같은 건 없냐. 사람이 짜치게.
민경	뭐? 짜쳐?? (착착 쌓은 떡볶이 탑 집으려는 해주의 젓가락 탁 친다) 안 짜치게 니돈니산 하시던가요.
해주	(툭 떨어진 떡볶이 탑) 에이씨⋯ 진짜⋯. (민경 잠깐 흘기다가 / 분식집 안 휘이 둘러본다) 여긴 변한 게 하나도 없는 거 같다.

---

* 내 돈 주고 내가 산 물건을 줄여 부르는 신조어, '내돈내산'을 응용한 표현

민경   (어묵꼬치 한입 베어 물고 씹으며) 그르게. 우리 졸업하고 첨
              인데 여전하네. (통유리 너머 초등학교 보인다) 학교도 왠지
              그대론 거 같고.

해주   (민경 시선 따라가며) 그래서 좀 다행이다 싶어.

민경   뭐가?

해주   못 알아보게 변했으면 좀 서운할 거 같거든.

민경   (무슨 기분인지 알겠고. 피식)

해주   (픽)

그때, 좀 전의 축구팀 아이들 우르르 몰려와 "컵떡볶이 주세요!", "순대
랑 섞어서 1인분이요" 주문하는 소리 들리고. 해주, '나도 저런 시절이
있었는데‥' 하며 옅은 미소 짓는다.

민경   우리도 저런 때가 있었는데 말야.

해주   (픽) 그러니까. 우리 처음 싸운 날 기억나냐?

민경   (ㅋ) 너한테 머리털 다 뽑혔던 날?

해주   (픽) 어.

플래시백 »

초등학교 운동장.

5학년쯤 되는 아이들, 둥그렇게 둘러서서 "해주 이겨라!", "민경 이겨
라!" 응원하는 소리 들리고. 아이들 무리의 가운데 보면 해주와 민경,

머리채를 쥔 채 서로 엉겨 붙어 있다.

민경   이거 안 놔!?
해주   너나 놔!
민경   이게 진짜!! (잡힌 머리채 빼내려다 해주 머리채 잡고 있던 손 놓
            친다)
해주   (넌 죽었어! 입술 앙다문다)

해주, 민경 머리채 휘익 돌려 그대로 바닥에 패대기친다. 철퍼덕- 고꾸
라진 민경, 두 손으로 자신의 머리카락 쓰윽 훑더니 한 움큼 뽑힌 머리
카락 보며, "내 머리카락… 어떡해…!" 대성통곡하고. 산발이 된 몰골로
씩씩대며 민경 노려보는 해주고.

다시 현재 »

민경   그때 왜 싸운 거지?
해주   (으쓱) 모르지.
민경   기억도 못 할 거 힘만 빠지게 왜 그 난리였는지.
해주   (진지) 민경아.
민경   (갑자기 왜 이래?)
해주   (빤히) 넌, 내 인생 첫 머리채였어.
민경   (이걸 그냥 확!) 돌았냐?
해주   (두 손 내려다보며 씨익) 손맛을 잊을 수가 없어.

민경   (손가락과 목 투둑투둑 꺾으며) 오늘 어떻게, 역사 한번 새로
              쓰까.

해주   (ㅋㅋㅋㅋㅋ)

S#3.　　스티커 사진 부스 (낮)

분식집 옆 스티커 사진 부스로 들어가는 해주와 민경.

점프컷»

해주와 민경, 네컷 사진 프레임 안에 들어가 있다.

점프컷»

가발, 선글라스 등 소품 쓰고 우스꽝스러운 표정과 몸짓해가며 찰칵찰
칵 사진 찍는다.

점프컷»

기계에서 인쇄된 사진 나온다.

S#4.　　초등학교 교정 (해 질 녘)

해주와 민경, 사진 보면서 "표정이 이게 뭐냐", "좀 정상적으로 찍어라",
"증명사진이냐?" 킬킬킬 웃는다.

해주(N)　　장해주의 인생 사전에서 가장 많이 등장하는 이름을 꼽으
　　　　　　라면‥.

어디선가 불어온 봄바람이 해주와 민경을 감싸고. 해주와 민경, 나란
히 앉아 학교 운동장 너머의 낙조를 바라보고 있다.

해주(N)　　내가 걸어온 수많은 발자국 중에는 민경이와 함께 걸어
　　　　　　온 흔적들이 빼곡히 새겨져 있는지도 모른다.

플래시백 »
1. 해주의 집 거실 (밤)
고등학생 해주, 교복 입은 채 식탁에 앉아 TV 보며 밥 먹고 있다.
식탁 위에 올려둔 PCS폰 울린다. (발신자 서비스가 없던 2000년대 초 시절)

해주　　　(받는) 여보세요.
민경　　　(…)
해주　　　전화를 걸었으면 말을…. (하는데)
민경(F)　(OL) 나 집 나왔어.
해주　　　(담담하다) 그래서 어딘데.
민경(F)　몰라. 그냥 길거리.
해주　　　제대로 말 안 하냐?
민경(F)　…동네, 팬시점.

해주　　 우리 동네 거기? (대답 없으면) 거기 딱 기다려. (끊으려다)
　　　　 어디 튀면 뒤진다 진짜. (끊는)

2. 거리 일각 (밤)

민경, 팬시점 앞에서 애먼 바닥만 툭툭 차고 있다.

해주(E)　 밥은 먹었냐?
민경　　 (본다)
해주　　 뭐 잘났다고 집을 기어 나와.
민경　　 (울먹) 숨, 막혀…. (그대로 미끄러지듯 주저앉아 엉엉 운다)

해주, 가만히 보다가 민경 옆에 철퍼덕 앉는다. 백팩에서 CD플레이어 꺼내 민경 귀에 이어폰 꽂아준다. 재생 버튼 누르면 CD 뱅그르 돌면서 음악 플레이된다.

해주(N)　 천 마디의 말보다 그냥 마음이 먼저 알아지는 사이.

3. 민경의 집 화장실 (낮)

20대의 해주, 샤워커튼 치고 샤워 중이다. 그때 민경, "신호 왔어!" 소리치며 하얗게 질린 얼굴로 화장실로 뛰어 들어와, 바지 내리고 급하게 변기에 앉는다.
커튼 안에 있는 해주, '저거 또 시작이네‥' 절레절레 고개 흔든다.

샤워커튼을 사이에 둔 해주와 민경, 서로의 얼굴은 안 보인다.

해주   아 쫌! 사람이 나가면 들어오던가!
민경   (안 들린다 / 제발 좀 나와라·· 으··) 이놈의 변비 진짜.

해주, 커튼 슬쩍 걷어 얼굴만 쏘옥 내밀고 힘주고 있는 민경 보다가
흐흐·· 음흉하게 웃는.

해주   (샤워기 민경 쪽으로) 받아랏! 쾌변 물총!! (발로 툭 차서 수도
         꼭지 틀어 물 쏜 후 재빨리 커튼 뒤로 숨는)
민경   (물 뒤집어쓰고) 야 이! 미친… (짜증 버럭) 도로 들어갔
         잖아!!
해주   (커튼 사이로 얼굴만 내밀고 음흉하게 흐흐 웃는) 그렇다면··.
민경   (불안하다) 하, 하지 마! 진짜 하지 마라!! 경고했다!!!
해주   (샤워기로 물 쏘며) 다시 소환! 아나콘다!
민경   (아아아악!!! 물 맞으며 발광) 이 또라이야! 넌 디졌어!!
해주   (샤워기 물 끄고 머리에 수건 두른 채 후다닥 화장실 튀어나간다)
민경   이 미친X아!!!
해주   (메롱)

해주, 화장실 앞에서 배꼽을 잡고 나뒹굴고 민경, 젖은 생쥐 꼴로 변기
에 앉아 해주 노려본다.

해주(N)   우린 여전히 싸우고 치열하지만,

4. 해주의 집 (낮)

해주, 핸드폰을 들고 폭발적으로 화를 토해내고 있다.

해주   30년이고 뭐고! 연락하지 마!

민경(F)   누가 겁낼 줄 알고? 맘대로 해! (끊는)

해주, 어이없고 기가 막혀 실소 터뜨린다.

시간 경과»

몇 시간 뒤. 해주, 베란다에서 화분에 물 주고 있다.

핸드폰 진동 울려서 보면 '민경'이다.

해주   (받는다 / 평소랑 다르지 않고) 어.

민경(F)   (언제 싸웠냐는 듯) 들어봐봐.

해주   또 뭔데.

귀찮은 말투지만 핸드폰 너머로 들리는 민경의 소리에 가만히 귀 기울이는 해주고.

민경(F)   엄마가 속 뒤집어놓는데 미쳐버리겠다 아주.

해주   엄마랑 또 싸웠냐. (절레절레)

해주, 핸드폰 귀에 댄 채 방금 물 준 화분 들여다본다. 반짝반짝 햇볕에
반사되는 물방울들 보이고.

민경(F)   엄마가 요즘 몸이 안 좋거든. 그래서 쉴 때 좀 쉬라고, 맨
          날 그렇게 몸을 혹사하니까 망가지는 거 아니냐고, 일 좀
          줄이랬더니 너는 엄마 마음을 몰라도 너무 모른다면서
          갑자기 난리다? 이게 내 잘못이야?
해주   어.
민경(F)   (황당) 뭐?!
해주   그냥, 니가 다- 잘못한 거라고.
민경(F)   걱정도 잘못이냐?!
해주   그게 걱정이냐, 잔소리지. 그냥 울 엄마 많이 힘들었어?
          한마디면 되잖아. 그 말 듣고 싶어서 딸한테 하소연하는
          건데.
민경(F)   아 짜증 나! 넌 친구가 아니라 웬수야 웬수. 너도 그럼,
          아~ 울 민경이 힘들어쩡? 하면 되잖아!!
해주   새삼스레 뭘. 좋은 소리 못 들을 거 알고도 전화한 거잖
          아? (픽)
민경(F)   말해 뭐 해, 내 속만 터지지. 만두 속 터지는 건 일도 아
          니지!!

큭큭큭 웃는 해주, 민경과 투닥거리며 통화하고 있다.

해주(N) 아픈 곳에 자꾸 손이 가는 것처럼, 마음이 먼저 반응하는
        존재. 세상에 없어서는 안 될 또 하나의 내 편.

다시 현재 »
민경, 네컷 사진을 보며 여전히 조잘대고 있고. 해주. 그런 민경을 가만
히 바라본다.

해주(N) 우리의 시간을 더 많이 공유하고 싶다. 둘 중에 한 사람이
        없으면 너무 외로우니까. (낙조에 비친 해주의 모습 위로 (ON))
        누가 먼저 죽을까?

민경   (별생각 없이) 응. 너 먼저 죽어.

해주   (픽) 그래. 하루라도 니가 더 오래 살아라.

민경   쓸데없이 그딴 소릴 왜 해?

해주   지금은 둘이지만 언젠가 한 명만 남을 거 아니야. 남은 사
        람은 누가 되든 진짜 힘들 거 같아서.

민경   (가만히 본다)

해주   (민경 본다) 생각해본 적, 없어?

민경   (뭔가 울컥하는데 애써 담담하게) 뭐, 나랑 연애하냐?

해주   (산통 깨는 데 최고지‥ 윽!) 귀 썩었어!! (귀 막 털어내는 시늉 위
        로 / (N)) 그래서 내가 한 선택은‥.

S#5.　브런치 카페 (낮)

민경, 연아, 지희, "반가워, 너가 민경이구나?", "얘기 많이 들었어", "동갑내기 싱글 친구들 진짜 좋다!" 환한 얼굴로 서로 인사 주고받는.
해주, 그런 친구들 따뜻한 얼굴로 본다.

해주(N)　누구 하나가 없어도 혼자 외롭지 않도록.

민경, 연아, 지희 "오늘 맛있는 거 먹자", "여기 파스타랑 커피도 맛있대" 메뉴판 보면서 신났다.

해주(N)　시간도, 공간도, 기억도, 공유하며.
연아　　근데, 다들 해주랑은 언제부터 친구야? 나는 스물한 살 때부터.
지희　　우리는 고등학교 때, 열여덟 살? 같은 버스 타고 다니면서 친해졌지. 민경이 너는?
민경　　한 30년 됐어. (해주 보며) 어휴 지겨워라.

민경, 연아, 지희 까르르 웃고. 해주, 민경 살짝 흘겨본다.

점프컷 »
핸드폰 카메라 들고 있는 해주. 앵글에 네 사람의 다정한 얼굴 잡혀 있다. 해주, "하나 둘 셋!" 찰칵. 네 사람 환하게 웃는 얼굴 찍힌다.

해주(N) 우리의 오늘을 오래오래, 서로가 서로의 기록이 되고 기억이 될 수 있도록, 일상이 되어주는 것.

아무도 몰라도, 이 세상에 나를 제일 잘 알고 또 가장 잘 알아주는 사람이
딱 한 명이면 된다고. 너에게도 내가 그런 존재라고. 그 밤, 유난히 밝고
예쁜 달이 우리를 가만히 비추고 있었다.

우정이 깊어서
걱정이 된 거죠 1

▶ 이야기의 배경

해주의 생일, 절친들과 생일 파티가 한창이다. 나이를 먹을수록 생일이란 게
점점 무감하기만 했는데 어쩐지 이번 생일은 조금 특별하게 보내고 싶다.
30대의 마지막 생일이니까. 그런데 어째 대화의 주제가 점점·· 이상해진다.
연아의 폭탄 이혼 고백에 이어 대화의 주제는 어느새 난자가 되었다.

S#1.　루프탑 라운지 (밤)

테이블 위. 파스타, 리소토, 샐러드, 과일에이드 등 음식들 맛깔스럽게 세팅돼 있다. 테이블 중앙에 생일 케이크 놓였고. 지희, 생일 초 꺼낸다.

해주　　그냥 한 개만 꽂아.

연아　　거기 있는 거 다 해. 얘가 비주얼을 모르네. (핸드폰 카메라
　　　　앱 작동)

지희　　아, 비주얼. (초 빽빽하게 꽂는다)

해주　　(초) 뺄 때 귀찮아.

연아　　(케이크 앞에 앉은 해주 찰칵 찍는)

해주　　초상권 침해야 너.

연아　　지랄. 찍어줄 때 감사하세요, 선생님. (싱긋)

해주　　죽을래?

연아　　살래. 지옥에서 이제 막 탈출했거든.

해주　　(조금 이상하고)

지희, 초에 불붙이고. 연아, "시작!" 하면 다 같이 박수 치면서 "생일 축하합니다, 생일 축하합니다, 사랑하는 장해주 생일 축하합니다" 생일송 부르고. 생일송에 맞춰 흔들흔들 우스꽝스러운 춤추는 해주고.

노래 끝나고 해주, 훅 불어 초 끄면 "축하한다 장해주!", "한 살 더 먹었으니까 어른 되라~" 신나게 축하하는 지희와 연아.

지희   근데 민경이는?

그때 해주, 연아, 지희의 핸드폰 일제히 진동 혹은 톡메시지 알림 울린다. 다 같이 확인하면 단체 대화창에 '민경'이다. [얘들아 미안! 나 길이 너무 막혀! 먼저 시작해.]

해주   (핸드폰 내려다보며 뚱) 이미 시작했거든여.

지희   (민경에게 답장 쓰고 있다)

해주   (지희) 늦은 사람 손해야. (음식) 다 먹어버릴 테다!

지희   그럼 민경이 오면 한 번 더 해.

해주   귀찮아. 쟤 저거 찍네. 그냥 사진 보내.

연아   (핸드폰 카메라 앵글 보며) 동영상인데?

해주   (손으로 가리며) 어휴, 지겨워.

연아   남는 건 이거밖에 없어. (생글)

지희   맞아. 실컷 찍자~ 다 추억인데 남겨야지. 사람의 기억은 지 좋은 대로 왜곡해서 믿을 수가 없거든. (연아에게) 채팅창에 올려줘. 민경이도 보게.

연아   그러니까, (대화창에 사진 올리는) 감성이 저렇게 메말라서 글은 어떻게 쓰나 몰라. 사막도 너보다는 촉촉하겠다.

해주   (참 나·· / 픽- 과일에이드 잔 든다) 잔이나 들어.

연아, 지희, 색깔 고운 과일에이드 잔 든다.

해·연·지   우리의 아름다운 30대를 위하여!

해주, 연아, 지희, "짠" 부딪치고 기분 좋게 마신다.

시간 경과»
테이블 위, 음식 비어 있는 접시들 보이고.

지희   나, 오늘을 위해 준비한 거 있어. (가방 뒤적이며 꽃반지 4개
          꺼낸다)

민경   역시 지희! 디쟈~이너라 그런가? 센스 좀 봐.

연아   (맘에 드는 거 홀랑 집는) 나 이거!

해주   얍삽한 놈.

연아   남자도, 물건도, 먼저 고르는 놈이 임자야.

해주   거기서 남자는 왜 나와.

연아   빨리 살아보고 아니면 또 다른 놈 찾아야지.

해주   (애 좀 이상한데·· 가만히 본다)

민경, 지희 서로 눈치 보다가 재빨리 하나씩 집어 각자 반지 포장 뜯어
서 손가락에 끼우고. '이럴 땐 잽싸지··' 민경과 지희 보며 피식– 테이
블 위에 하나 남은 반지, 포장 뜯어 손가락에 끼우는 해주고. (해주는 검
지, 연아랑 지희는 약지, 민경이는 중지에 제각각 끼운다)

해주   영롱하구나~ 우정이여 영원하라!

연아   (반지 낀 손 보다가 쌩긋) 나 이혼해.

민·지   (!!)

해주   오늘 내 생일이거든? 할 소리냐.

연아   뭐, 못 할 소리도 아니지.

지희   음… 어째 쎈 술이 필요할 거 같은데.

해주   웬일로 술 없이 지나가나 했다. 망했어 내 생일! 딴 데 가.
        (일어서고)

연아, 헤실헤실 웃으며 일어서면 민경과 지희도 따라 일어선다.

S#2.   실내 포차 (밤)

북적북적한 실내 포차 안.

해주, 민경, 연아, 지희, 동그란 원형 테이블에 둘러앉아 있고 소주와
기본 안주(잘 썰어진 당근, 오이 등) 세팅되어 있다.

해주   (담담하게) 그래서 이혼은 왜 하는데. (소주병 들어 연아의 잔
        채운다)

연아   (받으며) 뭐겠어? 안 맞는 거지. (마시고) 크으~ 달다.

민경   너, 괜찮아?

연아   생각보다는? (당근 집어 아그작)

지희	지금 친정에 있는 거야?
연아	아니, 따로 오피스텔에. 친정에는 못 들어가겠더라. (소주 병 들고 자기 잔 채운다)
민경	혹시, 남편 바람난 건…. (하는데)
연아	(마시려다) 아니야. 가치관이 너-무나 안 맞아.
지희	좀 맞춰가면서 개선할 여지는 없고?
해주	그런 게 됐으면 집을 뛰쳐나왔겠냐. (마시고)
지희	(가볍게 끄덕끄덕 수긍되고)
민경	(가만히 연아 등 쓸어준다)
연아	한 달 전인가? 창밖을 멍하게 보는데 그런 생각이 들더 라. 이렇게 살다 간 둘 다 평생 지옥에서 살겠구나…. (쓸쓸 한 미소 옅게 걸리고)
해주	(잔 채워서 들고) 잘했다! 돌아온 싱글 축하한다!
연아	아직 별거거든?
해주	미리 크리스마스도 있더라. 너도 미리 싱글 해.
민·지	(절레절레하면서 마시고)
해주	지금 박연아는 뭘 해도 무리고 뭘 해도 안 괜찮아. 그러니 까 그냥 놀아. 눈물 콧물 질질 짜는 거 하지 말고.
연아	(눈물 왈칵 올라오는 거 누른다) 오늘 집에 다 못 간다?
해주	먼저 뻗어서 살려달라고 하는 거 없음. 우리 아직 주문 안 한 거 맞지?
민경	응.

연아   진상들이네.

지희   (메뉴판) 뭐 먹을까? (하는데)

해주   (호출벨 누른다)

띵동- 소리에 남자 직원 온다.

"계란말이, 오뎅탕, 골뱅이, 오돌뼈요" 주문해버리는 해주고.

민·연·지   (엄지척 제스처)

민경   근데 다 먹을 수 있나?

해주   아 오늘 집에 못 간대잖아.

연아   (끄덕끄덕) 근데 니들은 연애 안 해? 민경이는 (남친) 있고.

지희   그르게~ 올해도 다 가는데, 내 님은 어딨니 대체.

해주   올 때 되면 오겠지.

민경   넌 기대도 안 했어. 일 중독자야~

연아   일 그만하고 남자 좀 만나.

해주   그 시간에 문장 하나 더 만드는 게 유익하다. (마시고)

그때, 남자 직원 테이블로 와 휴대용 가스버너 세팅한다.

연아   결혼 늦게 할 거면, 더 늦기 전에 난자부터 얼려. 요즘은
         난자가 대세야.

해주   (됐고) 여러분들이나 해. (빈 잔 채운다)

연아	난 이미 했지.
지희	(남자 직원 있단다‥ 눈치 주듯 큼큼)
해주	(대수롭지 않고) 정자도 얼리는데 난자쯤이야 뭐.
민경	(직원 흘깃) 야‥ 그만해‥.
해주	뭘 또. (직원 보며) 다 아시죠?
직원	(당황) 네? 뭘‥.
민·지	(쟤를 누가 말려‥ 부끄러움은 우리 몫이니‥?)
해주	뭐 얼마나 대단히 경건스러운 거라고 내외야.
민경	아무튼 저거 진짜 연구 대상이야. (마신다)
연아	저거 연구할 때 나도 불러. (마신다)
지희	나도. (마신다)
해주	천 억씩 내놔.
민·연·지	미친X아!
직원	(깜짝)
해주	(으쓱 / 마시고)
지희	죄, 죄송합니다.
직원	아, 네‥. (돌아서 간다)

직원 뒤통수 보며 깔깔깔 박장대소하는 연아.

지희	여기 미친X 하나 추가요.
민경	우리 테이블 따로 잡으면 안 돼?

해주	늦었어.
민경	근데, 난자를 어떻게 얼려?
지희	(그걸 몰라? 실화냐?)
민경	첨 들어서··. (민망한 웃음)
연아	난자도 늙거든. 그래서 한 살이라도 더 어릴 때 건강한 애를 채취해서 얼려두는 거지. 늦게 결혼해도 써먹을 수 있게.
민경	(별천지 신세계 만난 듯) 우와·· 신기하다~
해주	(절레절레 / 테이블 위 빈 잔들 채운다)
연아	뭐 물론 영구적인 건 아니지만, 그래도 안 하는 것보단 낫지. 그리고 40대 되면 난자 얼리는 것도 비싸진다? 늙었다고.
해주	디게 서럽네.
지희	나도 좀 알아볼까.
민경	그럼 나도··.
해주	(얼씨구?) 꼴값들 한다. 박연아, 바람 넣지 말고 너나 해.

갑자기 다들 생각이 많아진 얼굴들이다.

그때, 남자 직원 와서 주문한 음식들 세팅한 후 "맛있게 드세요" 인사하고 다른 테이블 쪽으로- 네 사람 말없이 각자 안주 집어 먹는다. 보글보글 끓는 오뎅탕 떠먹는 민경, 골뱅이 집는 지희, 케첩 찍어 계란말이 먹는 연아, 오도독오도독 오돌뼈 씹는 해주.

해주(N)　서로의 난자까지 걱정해주는 찐친들의 우정. 그렇게 난
　　　　 자로 대동단결을 이룬 우리는⋯.

S#3.　노래방 (밤)

넷이서 탬버린 들고 헤드뱅잉하며 난리 부르스다.

해주, 민경은 마이크 들고 "닥쳐! 닥쳐! 닥치고 내 말 들어!! 말 달리자
말 달리자" 열창 중이고. 연아, 지희는 맥주 캔 들고 "짠"을 외치며 마
신다.

점프컷 »

연아, "워어어어~~ 날 그만 잊어요" 마이크 두 손으로 꼭 쥔 채 감성에
젖어 있고. 해주, 민경, 지희, 두 팔 흔들흔들하면서 "날 그마~~안" 하
면서 같이 부른다.

해주(N)　다시없을 그 밤을, 사력을 다해 하얗게 불태웠다.

점프컷 »

테이블 위, 맥주 캔 여러 개 놓여 있다.

취기 오른 민경, 눈 풀려서 "세월이 가면~~" 부르고. 한쪽에 뻗어 있는
지희. 해주, 연아, "다 덤벼! 우리가 간드아!" 우스꽝스러운 포즈 취하
며 웃고 있다.

해주(N)   함께 있으면 천하무적! 걱정도, 인생의 대이변도, 별거
        아닌 것처럼 훌훌 털어버릴 수 있는 것은‥ 지금 내 곁을
        지켜주는 누군가가 있기 때문이다.

▶ 에필로그

S#4.   브런치 카페 (낮)

테이블 위, 커피잔과 디저트 먹은 흔적이 있는 접시 놓여 있고. 그 앞에
책 읽고 있는 해주. 그때 "저기 창가 앉을까?" 소음 들린다.
해주의 대각선 창가 쪽으로 앉는 커플. 해주, 소음 들린 방향으로 시선
잠깐 드는데‥ (!!!) 구 남친이다.
해주의 시선 느낀 구 남친, 시선 옮기면 해주 보이고. '(!!!) 쟤가 왜 저
기에‥' 해주와 구 남친 허공에서 잠깐 시선 얽힌다. 현 여친, 해주 슬쩍
돌아보며 "아는 사람이야?" 구 남친, 표정 풀고 "아니" 현 여친에게 웃
어 보인다. 해주, 떨떠름하게 표정 굳는다.

해주(N)   (하! 기막히고) 하필 마주쳐도….

플래시백 »
1. 창가 자리 (낮 / S#4)
1년 전 겨울.
해주와 구 남친 마주 앉아 있다. 둘 사이에 김 올라오는 커피잔 놓여 있다.

구 남친   그만하자 우리.

해주   (마시고) 커피, 지금 막 나왔는데.

구 남친   뭐, 이거 다 마시게?

해주   (빡치고) 야. 이별에도 예의라는 게 있거든? 우리 2년 만났
        어. 10분도 아깝냐?

구 남친   (떨떠름하다)

해주   얘가 사람 되게 비참하게 하네. 여기 앉아 있기 싫은 게
        누군데.

구 남친   (순간 버럭) 그러니까! (됐다‥ 싶고) 빨리 정리…. (하는데)

해주   (OL) 진짜 가지가지 하네. 야, 딴 기지배랑 바람난 놈 앞에
        두고 내가 지금 무슨 생각할 거 같애? 딴에는 곱게 보내
        주려고 마음먹고 있는데, 자꾸 삐뚤어지고 싶잖아?

구 남친   그래서, 뭐 어쩌자고.

해주   잘 지내지 마. 잘 먹지도 말고 잘 자지도 말고 잘 싸지도
        마.

구 남친   (어이없고)

해주   나 속이고 그 기지배 만난 날만큼 그렇게 살아. 그래야 공
        평하지.

구 남친   이게 니가 말한 이별에 대한 예의냐?

해주   (씽긋) 니 분수에 딱 맞는 예의지. (뒤로 푹 기대며, 소파 깊숙
        이 앉는) 분리수거도 안 되는 놈 데려가줘서, 누군지 몰라
        도 감사하다 나는.

구 남친   (뾰족) 뭐?

해주   개가 똥을 끊지. 그 기지배는 너 이런 놈인 거 아니?

구 남친   어따 대고 자꾸 기지배래.

해주   (기가 찬다) 꼴값을 떠네 진짜. 그 기지배한테 확! 다 불어 버릴까 보다!

구 남친   (!!)

해주   왜, 쫄리냐? (픽) 쫄지 마. 아직 아무것도 안 했어.

구 남친   (이게 누굴 놀려? 열받고) 야! 막말로 내가 너랑 결혼을 했어 뭘 했어!

해주   결혼 말고 할 건 다 했지.

구 남친   (막히고 / 입술만 달싹인다)

해주   (내가 진짜 이렇게 후진 놈을 만났나‥ 싶고 / 자조 섞인) 진짜 후 지다 너.

구 남친   (혼잣말처럼 / 그러나 해주 들으라는 듯) 지는 뭐 얼마나 고상 하다고. (코트 휙 들며) 더 할 말 없지? 간다.

구 남친 자리 박차고 일어선다. 해주, 입술 꾹 물고 구 남친 떠난 자리 보는데 아직 김 올라오는 커피잔만 남았다.

2. 영은의 집 (밤)

해주, "계란말이에 둘둘 말아버릴 놈, 나쁜 놈" 폭풍 욕하며 울고불고 하는 중이고. "여기 라벤더, 신경안정제" 티백 담긴 머그잔 해주 앞에 놔주며 그 옆에 앉는 선미. "그딴 놈이랑 헤어진 거 잘했어! 똥차 가면 벤츠 온다!!" 해주 달래는 영은이고.

해주(N)   칼날처럼 뾰족한 이별을 했던 날. 식어가던 체온을 뜨끈하게 데워주던 나의 사람들.

해주, 미친 사람처럼 하하하 웃었다가 갑자기 우울 모드로 훌쩍이다가. 그런 해주를 보는 선미와 영은의 시선, 애잔하고 따뜻하다.

해주(N)   그들이 있어 내 인생은 꽤 따뜻하다.

다시 현재 »
구 남친과 현 여친, 디저트 다이닝 쪽으로 간다. 해주, '그냥 나갈까‥' 싶고. 그러다 '내가 왜? 죄지은 건 저놈인데?' 생각에 들고 있던 책 탁 덮고 자리에서 일어선다.
해주, 당당하게 파워 워킹하면서 구 남친 커플 쪽으로- 다가오는 해주 보고 살짝 당황하는 구 남친(트레이 들고 있다), '뭐 하자는 거야‥' 싶고. 해주, 트레이 들고 있는 구 남친 보는데 울컥한다. '나한테는 남자 존심 어쩌고 하더니‥' 실소 픽- 구 남친이 왠지 한심하고 후져 보인다.
현 여친, 집게 들고 설레는 얼굴로 빵 보면서 '뭘 고를까‥' 하다가 팡도르 앞에서 고민 중이다.

해주(E)　　그거 맛있어요.

현 여친　　(본다) 네?

구 남친　　(!)

해주　　　팡도르, 이 집 시그니처예요.

현 여친　　(구 남친) 이거 시그니처래. (생긋하며 해주에게) 감사합
　　　　　니다.

해주　　　감사는요~ (구 남친 보며 서늘하게 웃는) 저도 전 남친 때문
　　　　　에 안 거라.

구 남친　　(!!!)

구 남친, 자리 피하려는 듯 서둘러 현 여친 데리고 계산대 쪽으로 간다.
해주, 구 남친 뒤통수 보며 '도둑이 제 발 저리냐? 쫄기는‥' 하며 픽-
자기 자리로 돌아가며 친구에게 전화 건다. (상대 받으면) "밥 먹었음?
안 먹었으면 니네 집 앞에, 설렁탕이나 먹자! 입맛 배렸다. 튀튀."

해주(N)　　우정이 깊어서 걱정이 되어도 좋은 이유. 어느 순간에는
　　　　　가족보다 더, 천군만마도 부럽지 않은 든든한 빽이 되어
　　　　　주니까.

Episode 13

우정이 깊어서
걱정이 된 거죠 2

영은의 결혼식. 해주가 영은의 부케를 받는 날이다. 영은의 결혼식에서 해주는 선미를 1년 만에 만난다. 선미의 결혼 후 처음 만나는 것이기도 하다. 선미는 해주의 연애사에 관심이 많다. 그녀는 오랜만에 만나도 여전히 해주의 연애와 결혼이 제일 걱정스럽다. 해주는 그런 선미가 밉게 보이지는 않지만, 이따금 부담스러운 것도 사실이다.

S#1. 웨딩홀 신부 대기실 (낮)

"축하해~", "고마워", "사진 찍게 이리 와" 인사 나누는 소리 들리고. 하얀 웨딩드레스를 입은 영은, 화사한 웃음으로 친구들 맞이하고 있다. 해주와 선미, 신부 대기실로 들어선다.

해주   와~ 송영은 맞아?

영은   (살짝 부끄러운) 나 맞거덩.

선미   진짜 이쁘다~ (해주 보며) 1년 전에 나도 이랬나?

해주   (으쓱) 글쎄다~

선미   저걸 그냥!

영은   (으이그 / 해주에게) 부케녀답게 오늘 곱다?

해주   (우쭐) 친구 어깨 뽕 좀 세워주기로 했지.

선미   그런 김에 신랑 친구들 중에…. (하는데)

해주   ((OL) / 뚱) 시끄러워.

영은   그만들 하고 얼른 사진 찍자!

영은의 양옆으로 해주와 선미 자리 잡고 앉는다.
사진사, "활짝 웃어요~" 하면서 찰칵.

S#2. 웨딩홀 일각 (낮)

해주와 선미, 신부 대기실 나와 웨딩홀 쪽으로-

선미	(주변 두리번두리번 / 낮게) 야! 진짜 잘 찾아봐.
해주	(건성) 응, 그래 그래.
선미	영은이 남편 직장도 괜찮단 말이야.
해주	(선미 잡아끌며) 늦게 가면 자리 없어. 빨랑 와.
선미	부케도 받는 마당에! 니가 지금 찬밥 더운밥 가릴 처지가 아니에요~
해주	요즘은 영양밥, 잡곡밥, 현미밥, 곤약밥까지 다양해서 괜찮거든여?
선미	(아직 정신을 못 차렸어‥ 절레절레)

해주와 선미, 웨딩홀로 들어간다.

S#3.   웨딩홀

삼삼오오 테이블에 앉은 사람들 보이고. 뒤쪽에 서 있는 하객들도 보인다. 해주와 선미, 버진로드 가까이에 있는 테이블에 앉아 있다.

선미	(낮게) 소개팅할래?
해주	(시선 버진로드 / 단호) 놉.
선미	요즘 괜찮은 데이트 앱도 있던데- 뭐더라? (핸드폰으로 검색)
해주	(보며 제발 좀‥ / 선미에게) 나 좀 그만 사랑해.

선미   (낮게 버럭) 야. 너 이러다가 진짜 처녀로 늙어 죽어!

해주   내 지인 중에 오십 살에 웨딩드레스 입은 언니도 있어. 그
        언니 부케 내가 받았거든?

선미   (뜨억) 그래서, 너도 그때까지 기다린다고?

해주   다 때가 있는 거라고. 안달복달한다고 뭐가 달라지냐.

선미, 뭔가 한마디 하려는데!

사회자   신부 입장!

〈결혼행진곡〉 피아노 소리와 함께 영은, 아빠 손잡고 입장한다. 해주
와 선미 열렬히 박수 치며 축하 중이다.

점프컷

신랑과 신부 뒤로 서 있는 친구들 시선 해주 쪽으로- 부케 받을 준비하
며 영은 뒤에 서 있는 해주고. 해주, 선미 힐끗 보면-

선미   (입 모양으로) 잘 받아.

해주   (가볍게 끄덕)

영은, 부케 던지면 공중으로 붕- 뜬 부케. 해주, 양팔 벌리고 있고 그 속
으로 쏙 들어온다.

S#4. 웨딩홀 피로연장

테이블마다 하객들 삼삼오오 앉아서 식사하는 풍경. 테이블에 마주 앉은 해주와 선미, 밥 먹고 있다. 해주 옆으로 부케 놓여 있고, 뷔페 다이닝 쪽 사람들 배경처럼 보인다.

선미   (다급) 야야!

해주   (귀찮고) 아 왜 또.

선미   저기, 저기. (눈짓)

해주   (대충 힐끗) 저기 뭐어-

선미   두 살 연하에다가 영은이 남편 후배래. 언니가 널 위해 이렇게 고군분투다, 어?

해주   (굳이 안 해도 되는데‥) 그런 정보는 또 언제 입수했니‥ 안선미 여사가 최고야. (초밥 입으로 쏙)

선미   지금 밥이 눈에 들어오냐!?

해주   (선미 접시 위로 초밥 놔주며) 이 집 맛집이네~ (딴청)

선미   (초밥 밀며) 내년에 니가 몇 살인지는 알지? (낮게) 막말로 우리 가임기 계산할 때야.

해주   어. (건성) 너무너무 잘 알지.

선미   (텄네 텄어‥) 부케가 주인을 잘못 찾아갔어.

해주   (부케) 얘가 잘 찾아왔다는데? 아름다운 주인 만나서 생기가 넘친다고 전해달래. (선미 놀리듯 초밥 입에 쏙)

선미   니 팔뚝 굵다, 그래!

선미의 반응이 재미있다는 듯 피식 웃는 해주.

해주(N)　　선미는 틈만 나면 메시지로, 혹은 전화로 나의 연애 안부
　　　　　를 묻곤 한다. 그리고 열에 아홉은 선미의 울화통으로 마
　　　　　무리가 되는 결말.

S#5.　　지하철 안 + 버스 안 (밤)

해주 앞쪽 임산부석에 만삭의 여자 앉아 있고. 그 옆으로 20대 커플 앉
아서 꽁냥꽁냥, 잠깐 시선 따라가는 해주.
지하철, 지하를 지나 지상의 풍경으로 휙휙 펼쳐지면 해주, 바깥 풍경
으로 시선 옮긴다.
핸드폰 지잉 울리고, 보면 선미에게 온 톡메시지이다. 해주, 톡대화창
열어서 확인하면 웬 남자 사진이다.

해주　　　[??]
선미　　　[이 사람 어때?]
해주　　　[깜빡이 좀 켜고 들어와.]

해주, 지하철 출입문 쪽에 서서. 선미, 버스 창가 쪽 자리에 앉아 각자
톡메시지 주고받는다.

선미   [깜빡이 켜면, 끼어들 틈은 주고? 우리 남편 회사 동료야. 사람 진짜

        진국이니까 한번 만나봐.]

해주   [친구야, 마음은 고마운데‥ 지금은 진짜 생각이 없어.]

선미   [정신 차려 이것아. 한 살 더 먹으면 이런 소개팅 들어오지도 않아.

        해줄 때 고맙습니다~ 하고 받아.]

해주, [그래 알겠어. 역시 친구가 최고…] 쓰다가 지우고 핸드폰 화면 끄

며 얕은 한숨 뱉는다.

S#6.   지하철역 (밤)

지하철 문 열리고 쏟아져 내리는 사람들 틈으로 해주도 내린다.

해주(N)   친구의 오지랖과 참견이 애정을 대변한다는 것도 알지

         만. 어쩐지 가끔은 이게 누굴 위한 잔소리인지 헷갈릴 때

         가 있다.

해주, 씩씩하게 입구 쪽을 향해 걷는데, 핸드폰 지잉- 화면에 미리보기

톡 뜬다. [안녕하세요. 안선미 씨 소개로…] 보이고. 핸드폰, 가방 깊숙이

넣은 뒤 다시 걷는 해주.

해주(N)   너무 깊은 우정이 불러온 걱정일지도. 친구를 위한 따뜻

한 걱정은 딱 한 스푼 정도면 된다고 말해주고 싶다.
자신의 삶에 무감한 사람은 없다고 생각하니까.

▶ 에필로그

S#7.　지하철역 앞 (밤)

해주, 지하철역 계단 내려와서 버스 정류장 쪽으로 향하는데-

남자1(E)　저기요!

해주　　　(돌아본다 / 주변 보며 나 맞지?)

남자1　　(살짝 수줍) 저기‥ (망설망설) 연락처, 알려줄 수 있어요?

해주　　　(부케 들고 흔들) 제가 곧 결혼을 해서요.

남자1　　(민망 / 머쓱) 미, 미안합니다!

남자1, 황급히 돌아서 해주와 반대 방향으로 걷는다. 그의 뒷모습을 잠시 보는 해주.

해주(N)　겉보기 멀끔한 낯선 남자의 마음을 단칼에 거절했다. 가임기 계산은 개뿔‥ 좀 내버려 둬도, 알아서 굴러갈 일은 그냥 잘 굴러간다.

해주, 발길 돌려 천천히 걷기 시작하면 잔잔한 가로등 불빛이 해주를 비추고 있다.

해주(N)　어쩌면 당장 내게 필요한 건 연애도, 결혼도 아닌. 내가
　　　　나로 살 수 있는, 두 번 다시 만날 수 없는, '지금 나'와의
　　　　만남일지도 모르겠다.

▶ 주요 장면 리플레이

비교는 나의 힘

대학 동기 모임. 해주는 몇 년 만에 그녀들을 만났다. 다들 사는 이야기, 특히 남편 이야기, 남편 승진 이야기, 시월드 이야기, 거기에 애들 이야기까지. 대화의 주제는 1부터 10까지 주변과의 비교다. 누가 누구보다 성적이 좋고, 누가 누구보다 먼저 승진을 했으며, 누가 누구보다 큰 집을 샀고…. 하지만 해주는 그런 이야기들이 크게 불편하지 않다. 내가 모르는 세계에는 이런 것들이 존재하는구나, 그냥 그러려니 할 뿐. 그런데 그 비교의 화살이 애먼 해주에게 꽂힌다. 그렇게 집으로 돌아가는 길, 지희에게서 연락이 온다. 오늘은 지희도 비교 지옥을 겪은 모양이다. 그런데… 비교가 나빠? 비교하면 안 된다고 누가 그래? 나는 그 비교 덕에 작가 됐는데?

S#1.   호텔 뷔페 (낮)

한적한 호텔 뷔페 안.

테이블에 앉아 식사 중이거나 그 뒤로 뷔페 다이닝에서 음식을 담거나 배경처럼 보이는 사람들. 해주, 동기1·2·3과 창가 쪽 테이블에서 밥 먹고 있다.

해주   여기 음식 괜찮네. (야무지게 먹는)

동기1   그치? 좀 비싸서 그렇지만. (먹는)

동기2   (동기1 본다) 너, 너무 엄살 아니야?

동기1   (응?)

동기2   (동기1에게) 남편 또 승진했다면서.

동기3   (말 나온 김에) 오늘 승진 턱 쏘면 되겠네.

동기1   (살짝 우쭐) 그럼, 그럴까? (했다가) 근데 나보다는 애가(동기2) 밥 사야 하는 거 아니니?

동기2   (내가? 갑자기?)

동기1   드디어 시월드랑 분가했잖아.

해주   (밥 한번 사는데 온갖 이유가 필요하구나 싶고 / 피식)

동기2   말도 마. 진짜 생난리를 쳤어 내가. 이래서 어릴 때 결혼하면 안 돼. 어리다고 무조건 자식들 끼고 살려고 하거든. (하다가 동기3 보며) 맞다. 니 아들 영어 때문에 유학 준비한다고? 근데 일곱 살이면 너무 어리지 않니?

동기3   (대수롭지 않게) 우리 시누이, 이번에 미국 지사 발령 났잖

아. 그 김에 알아나 보는 거지.

동기2   좋겠다~

동기1   (옆에 있는 동기3 툭툭 치며) 그만하자, (해주 신경 쓰이는 듯) 밥만 먹잖아.

동기2   (괜히 호들갑) 어머! 미안~

해주   (무슨 뜻인지 대충 감이 오지만 짐짓 모르는 척, 포크로 샐러드 콕 집으며 해맑게) 뭐가?

동기2   (뜨끔) 아니 그게‥.

동기1   우리만 너무 떠드는 거 같아서. (어색하게 웃는)

해주   (이 분위기 뭐야‥ 슬슬 짜증 올라오고 / 포크 얌전히 내려놓는) 떠들어. 그러라고 있는 자리잖아, 여기. 아니야?

동기1   그렇긴 한데‥.

해주   (셋 본다) 들어줄 사람 필요한 거 아니었어?

동기2   그런 게 아니고‥ (해주) 공감대가 없는 얘기 듣기만 하는 거 좀 재미없잖아.

해주   (그런 거였어? 애네 웃기네‥ 픽) 나는, (얼굴 꼿꼿하게 들고) 방세 개짜리 집에서 혼자 살아. 그리고 나, 베스트셀러 작가야. 이런 거 얘기하면 되는 건가?

동기1·2·3   (벙찌고)

해주   각자 사는 게 다른데 불편하고 말 게 뭐 있니. (더 앉아 있기 싫다 / 핸드폰 화면 밀어 시간 확인) 나 먼저 간다. 요즘 원고가 밀려서. (일어서면서) 아, 나 곧 네 번째 책 출간하거

든? 집으로 하나씩 보내줄게. (예쁘게 웃어 보이고 돌아서는)

동기1·2·3   (해주 뒤통수 보는데 괜히 재수 없고)

S#2.   해주 차 안 (낮)

운전하면서 댄스 음악 크게 틀고 따라 부르는 해주.
그러다 음악 볼륨 줄이고 운전석 쪽 창문 내리는. 안으로 들어오는 바람에 머리카락 흩날린다.

해주   (목청껏) 잘했다 장해주!!! 장하다 장해주!!

해주, 다시 음악 볼륨 높이고 신나게 따라 부른다.

해주(N)   이제 참지 않기로 했다. 가만히 있으면 불청객이 되고, 사는
          세계가 다르다고 하면 히스테리쯤으로 몰아가고. 어차피 답
          정너°인 걸 왜 참아? 이러나저러나 화병만 얻을 뿐, 정신 건
          강에 해롭다.

 ◦ '답은 정해져 있고 너는 대답만 하면 돼'라는 뜻으로, 자신이 원하는 답을 하게 하는 사람이
   나 행위를 의미하는 말

S#3.   해주의 집 앞 + 거리 일각 (밤)

산뜻한 기분으로 집에 들어가려는 해주. 그때 핸드폰 진동 울리고, 주
머니에서 꺼내 보면 지희다.

해주   (받는) 이지희~ 퇴근했어?

지희   **인서트 »** (거리 일각 걷고 있다) 응….

해주   (좀 이상한데?) 뭔 일 있어?

지희   **인서트 »** (걷다가 우뚝 멈춰 선다) 그냥‥ 걷는 게 좀 지치고
        힘들어.

해주   (뭐 있는 거 맞네) 어딘데?

S#4.   해주의 동네 어느 칼국숫집 (밤)

지희, 얼음물 벌컥벌컥 마시고 있다. 그런 지희를 가만히 지켜보는
해주.

지희   아 시원하다.

해주   (한겨울에‥) 안 춥냐.

지희   속에서 열이 치솟는다.

해주   (지희 말 기다리며 빈 잔에 물 채운다)

지희   우리 여직원 그만둔대.

해주   (젓가락 놓는 등 손 놀리며) 싱숭생숭하겠네.

지희   응. 좀.

그때, 사장 칼국수랑 만두 테이블에 놔주며 "맛있게 드세요" 인사하고 가고.

해주   뜨거울 때 먹어. 저녁 안 먹었다며.

지희   (젓가락으로 칼국수 그릇 괜히 휘휘 젓기만)

해주   (흘끗) 뭐, 다른 거 시켜줘?

지희   아니. (칼국수 빤히) 이제부터 진짜 열심히 살아야겠다! (씩씩하게 먹는)

해주   (픽) 여직원한테 도전이라도 받았냐? (칼국수 먹는)

지희   어. 나 올해 남친도 만들고, 퇴사해서 다른 일도 하고‥ 그런 소박한 꿈이 있었거든. 근데 이걸 우리 여직원이 다- 이뤘네? 내 기도가 그쪽으로 갔나?

해주   (슬쩍 픽 웃으며) 어느 쪽인데. 공감이야 직언이야.

지희   (괜스레 짜증이 나면서) 아. 뭐!

해주   (으쓱) 낫띵. (먹는)

지희   직언. (하고 벨 누른다) 사장님 여기 얼음물 좀 주세요!

해주   (돌직구 맞을 마음의 준비냐? 픽)

사장, "얼음물이요" 하며 놔주고 간다.

해주   넌 뭐 했는데.

지희   (애먼 만두 젓가락으로 푹푹 찌른다)

해주   투잡이네 뭐네 알아본다더니, 준비는 해봤고?

지희   (한숨 푹 쉬며 만두 속 판다)

해주   니 삶에 너무 안일했다는 생각은 안 드냐?

지희   (젓가락 내려놓고) 맞아. 대충대충 설렁설렁 해놓고 난 할 만큼 했다! 이랬던 거. (얼음물 마시고)

해주   (알고 있네)

지희   맨날 남하고 비교만 하고 있었던 것도.

해주   (칼국수 먹으려다 본다) 비교하면 왜 안 되는데?

지희   어?

해주   해야지, 비교. 다른 사람은 되고 내가 안 되는 거, 생각해 봐야 할 문제 아니냐?

지희   (음… 생각 많아진 표정이다)

해주   세상에 공짜가 어딨냐. 하다못해 시험 한 번을 봐도 공부 잘하는 놈 답안이랑 내 거랑 비교하잖아. 근데 인생 비교를 안 해? 비교해야 내가 뭘 놓쳤는지 제대로 보이지 않겠어?

지희   (듣고 보니 그러네…) 충실하지 않았어.

해주   해결됐냐?

지희   (끄덕끄덕)

해주   (픽)

해주와 지희, 말없이 칼국수와 만두 맛있게 먹고.

해주(N)   비교하자면 끝이 없고, 또 끊임없는 비교 속에 살고 있는
          우리의 인생이지만. 이 비교의 소용돌이 속에서도 지지
          않고 나는 나로서 설 수 있기를. 굴곡진 인생의 파도 앞에
          부디 쓰러지지 않기를. 서핑 보드를 들고 밀려오는 파도
          의 그루브를 타며 뜨겁게 살아가기를.

▶ 에필로그

S#5.   초등학교 교실 (낮)

초등학교 6학년 해주, 나누어 받은 프린트물의 빈칸을 채우고 있다.
부모님 이름, 나이, 직업을 써 내려가다 장래 희망에서 딱 막힌다.
'장래 희망?' 잠깐 멍한 얼굴로 주변 보면 친구들 열심히 쓰고 있고. 짝
꿍 슬쩍 보면 장래 희망에 '선생님' 썼다. 슬쩍 뒤돌아 뒤에 앉은 친구
들 보면 각각 '간호사', '과학자' 썼고.
해주, 앞으로 바로 앉아 한숨을 폭 내쉰다. '도대체 뭘 써야 하지‥? 장
래를 희망? 도대체 뭘 희망해야 하는데??' 그때, 담임 선생님(남) 책상
분단 사이를(4분단으로 나눠져 있다) 왔다 갔다 하며 아이들이 쓴 장래 희
망 따뜻하게 보고 있다. 그러다 고민하는 해주 발견한다.

담임   (해주 곁에 서는) 우리 해주는 되고 싶은 모습이 많아서 고

민이구나?

해주   (도리도리 / 그게 아니라‥) 선생님‥ 저는 뭐 써요?

담임   (?)

해주   (담임 올려다보며 시무룩) 나는 잘하는 게 하나도 없는 거 같
          은데‥.

담임   (장래 희망 칸 가리키며) 여기는 나중에 해주가 진짜 하고 싶
          은 거를 적는 거야. (따뜻하게 보고)

해주   하고 싶은 일‥ 이요?

담임   그렇지. 해주가 하고 싶은 일이 있으면 그걸 위해 열심히
          공부도 하고 노력도 하고, 열정도 생기겠지?

해주   (천천히 끄덕끄덕)

담임   한번 찾아볼래? 우리 해주는 뭘 하고 싶은 사람인지. (따
          뜻하게 웃는)

해주   (끄덕이며) 네‥.

S#6.   몽타주

해주(N)   그렇게 20년 후.

1. 스튜디오 세트장 (낮)

한창 녹화 중인 현장.

녹화 지켜보던 해주, 매직펜 들고 스케치북에 재빨리 "지금 질문 던져

주세요" 쓴 다음 스케치북 들어 MC에게 신호 준다.

2. 서점 (낮)

다양한 책들 매대에 깔려 있고. 매대 중앙에 해주 책 보인다. 누군가의 손, 해주 책 집어서 펼친다. 그 옆으로 조용한 미소 지으며 다른 책 집어서 보는 해주.

3. 버스 안 (밤)

뒤쪽 창가 자리에 앉은 해주. 핸드폰으로 SNS 보고 있다. 핸드폰 화면 보이면, 해주 책 홍보되고 있다. '좋아요' 여러 개, '작가님 책 읽고 위로 받았다', '버스 타고 가면서 책 읽다가 오열했다', '마음을 따뜻하게 울리는 글 고맙다' 등의 댓글들 보인다.

해주(N) 나는 작가가 되었다.

4. 해주의 작업실 (밤)

해주, 책상 앞에 앉아 노트북으로 원고 작업하고 있다.
하늘, 밝았다가 점점 어두워졌다, 다시 밝아진다.
그 모습 그대로 책상 앞에 앉아 원고 작업 중인 해주. 퀭한 얼굴로 침대로 가서 푹 쓰러진다.

해주(N) 내가 좋아하는 거, 잘하는 거, 하고 싶은 거, 남들과 실컷 비교하다가 마침내 찾아냈다. 내가 살고 싶은 인생을. 누구에게 그 무엇이 되는 것이 아니라, 나는‥.

(편집컷)

- 드라마(또는 영화) 보면서 훌쩍이는 해주.

- 해주, 친구들과 수다 떨며 환하게 웃고.

- 서점 일각, 바닥에 철퍼덕 앉아 소설책에 집중하고 있는 해주.

- 누군가와 치열하게 말싸움하는 해주 보이고.

- 야무지게 밥 먹는 해주 모습.

해주(N)　작가 장해주, 웃는 장해주, 우는 장해주, 싸우는 장해주, 먹는 장해주, 열정 태우는 장해주…. 수많은 장해주를 사랑하며. 매 순간 뭐 하나 더하거나 빼지 않고. 그냥, 장해주로 살기.

Episode 15

아마도
그건 사랑

희진과 해주는 20대에 만난 친구 사이다. 희진의 연애는 짧고 굵은 편인데, 그래서인지 희진의 이별에 대한 정리는… 빛의 속도쯤(?) 된다. 그리고 이번에도 실패한 연애라며 해주에게 하소연하는 희진. 그리고 얼마 후, 희진은 새로운 사랑을 찾아 나선다.

S#1.   호프집 (밤)

해주, 희진 마주 앉아 있고. 그 앞에 500시시 맥주 두 잔 각각 놓여 있다. 희진, 훌쩍훌쩍 코 들이마시며 울고 해주, 말없이 앞에 놓인 맥주 마신다.

희진   (앞에 놓인 티슈 뽑아 코 팽 푸는) 나 말이야. 걔 진짜 사랑했
         거든? 알지?

해주   (그렇겠지·· 영혼 없이) 응 그래. 알지, 알지.

희진   나쁜 놈·· 나만 사랑한다더니! 어떻게 사랑이 변하니?

해주(N)   사랑이 어떻게 변하긴. 변하는 게 사랑이지. 세상에 안 변
         하는 사랑 같은 건 본 적이 없거든.

희진   진석이, 진짜 내 운명이었단 말이야··.

희진, 눈물 한 번 닦고 "어떻게 나한테 이래··", "내가 지한테 어떻게 했는데!" 주저리주저리····. 그러다 울컥 올라오는지 앞에 놓인 맥주 벌컥벌컥 마시고 "사장님! 여기 오백 하나 더요!" 주문한다.

해주(N)   운명 같은 건 없다고 말해주고 싶지만. 이별의 고통으로
         몸부림치는 친구에게 이 말은 곧 죽으라는 거니까. 지구
         상에 운명은 대체 몇 개쯤이나 될까.

희진   십 리, 아니! 열 걸음 가다가 발병 날 새끼!! (흐이잉 울음 터
         뜨리고)

희진의 울음소리에 이쪽저쪽 테이블에 앉은 손님들, 힐끗힐끗 쳐다본다. 해주, 무감한 눈으로 맥주 들이켠다.

해주(N)   아직도 운명 같은 게 있다고 믿는 나의 친구는… 이별 후유증이 지나치게 심하다.

희진, "어제까지 사랑한다더니‥", "금세 딴 여자랑 꽁냥꽁냥이냐", "커플링을 버려야 하나, 팔아야 하나" 주저리주저리 떠들고 있다. 해주, 맥주 마시며 희진의 맥락 없는 이야기 가만히 듣고 있다.

해주(N)   이별 앞에만 서면 사람이 어찌 이리도 한결같을 수가 있는 건지. 어쩌면 매번 만나는 상대가 운명일 수가 있는 건지. 그러다 문득 이런 생각이 들었다. 아마도 희진이 말하는 운명이란 이런 게 아닐까. '운명 = 나는 지금 사랑하는 중입니다.'

인서트 »
카페. (낮)
해주와 희진, 카페에 마주 앉아 있다. 해주, 아이스아메리카노 빨대로 쪼옥 마시고. 희진, 핸드폰 보며 헤죽헤죽 웃고 있다.

해주   (절레절레) 또 도졌구나. 병이 도지셨어.

희진   (뜨끔) 뭐, 뭐가!!

해주   (반응을 보니) 너도 니 병을 알긴 아는구나? (마시고)

희진   이번엔 진짜거든! 진짜 진짜 지-인짜! My Destiny거든?!

해주   (그래 그러시겠지‥ 어련하실까) 언제는 가짜인 적도 있었냐?

희진   너 진짜 자꾸 초 칠 거야?

해주   (으쓱) 그럴 리가- 하던 거 마저 해. 응응~ 방해 안 할게.

희진, 금세 표정 풀고 핸드폰 화면 해주 앞으로 불쑥 내민다.

희진   봐봐. 나랑 진짜 잘 맞게 생겼지?

해주   (본다 / 대체 어디가‥? / 심드렁) 뭘 봐야 그런 게 보이는데??

희진   (버럭) 야!!

해주   (손사래 / 억지웃음) 응 아냐 아냐 (핸드폰 화면 보며) 어디 보
       즈아~ ((N) 내가 보면 뭘 아냐‥! / 얕은 한숨)

다시 현재 »

희진, 여전히 뭔가 억울한 듯, 화가 난 듯, 감정 주체가 안 되고. 그런 희
진을 담담하게 바라보는 해주고.

희진   하나부터 열까지 응? 세상에 어떻게 이런 거까지 찰떡
       이지? 싶게 잘 맞았단 말이야. 혹시 다른 차원에서 또 다

른 내가 남자의 모습으로 온 거 아닐까, 착각이 들 정도였
다고!

해주   (마시려다 멈칫 / 그 정도였다고?!) 근데, 그렇-게 운명 같은
       상대랑은 어째서 3개월을 못 넘기냐. (마시고)

희진   (뜨끔) 그, 그건!! 시간이 중요하냐? 짧아도 강렬한 거!
       feeling 같은 게 막… (하다가 관두자 싶고). 됐다 됐어. 일에
       미쳐 사는 니가 뭘 알겠어.

해주   (애가 뭘 모르네··) 너 그거 알아? 한 가지에 푹 빠져 미칠
       수 있는 사람은 다른 거에 빠지면 그거에도 미칠 수 있다
       는 거.

희진   (뭐래·· 하다가) 그래서, 일 말고 뭐에 미쳐보셨는데?

해주   (빤히) 사랑.

희진   (니가? 말도 안 된다) 퍽이나.

해주   그래. 니가 뭘 알겠냐. (픽)

희진, 씩씩대며 해주에게 "재수 없어!", "인간미라곤 눈을 씻고 찾아봐
도 없지!" 감정 퍼붓는다. 해주, 그러든지 말든지·· 익숙한 듯 맥주 들
이켠다.

S#2.   해주의 다용도실 + 작업실 (밤)

다용도실로 들어가는 해주, 한쪽에 밀어둔 작은 상자 빤히 내려다본

다. 쪼그리고 앉아 뚜껑에 쌓인 먼지 톡톡 털어 들고 작업실로-
책상 위에 상자 내려놓고 의자에 앉아 담담하게 본다. 얕게 심호흡 한 번 하고 뭐가 결심한 듯 상자 뚜껑 열면 상자 안에 다이어리가 몇 개 들어 있다. 맨 위에 다이어리 꺼내서 첫 장 넘기면 '2005년' 글자 보인다.

해주   (다이어리 앞 장에 붙은 20대 해주 사진 보며 픽- 이런 시절도 있었
           네 / 애틋하고) 이뻤네, 나.

해주, 다이어리 한 장 한 장 넘기며 추억 여행하듯 다정한 얼굴로 본다. 그러다 어느 페이지에 손이 멈칫- 가만히 본다. 환하게 웃는 얼굴로 해주에게 백 허그한 남자와 까르륵 웃음 터진 해주의 사진.

해주(N)   운명까지는 아니어도, 그랬다. 사랑. 안 보면 죽을 것만
           같고, 함께 있을수록 애달픈 사람. 어느 날 갑자기 날아갈
           것만 같아서….

해주, 자조 섞인 쓸쓸한 미소가 옅게 걸린다.

해주(N)   견딜 수 없이 두려운 마음을 어쩌지 못해 내가 먼저 손을
           놓아버린 사람.

플래시백 »

대학교 캠퍼스 일각. (낮)

대학생 해주, 강의 마치고 친구들과 캠퍼스 걷고 있다.

친구1   맞다! (친구2 툭 치며) 너, 동욱 선배랑 사귄다며?

친구2   (쑥스럽고 괜히 부끄럽다) 뭐… 그렇게 됐어.

해주   (괜히 부러운 시선)

친구1   앙큼한 것! 이 언니한테 말도 안 하고…. (곱게 흘긴다)

친구2   말할라 했지, (하다가 / 해주) 아 맞다. 너 오늘은 남친
         만나?

해주   (그냥 조용히 미소만)

친구1   니 남친, 혹시 권태 아니야?

해주   (정색 / 그런 거 아니거든) 야. 우리 되게 사랑하거든?

친구1   그냥 하는 소리지. 막말로 니가 무슨 정조와 절개를 지키
         는 조선시대 여인도 아니고. 그 사랑이 너만 그런가 싶은
         거지.

해주, 친구1에게 뭐라고 쏘아붙이려는데-

친구2   (화제 바꾸며) 오늘 완전 맛있는 거 먹자! 이 언니가 쏜다!
         어제 알바비 받았거든~

해주   (살짝 짜증 난)

친구1   (해주 팔짱 끼며) 야~ 내가 너 사랑하는 마음에 그러는 거
        지! 니 남친 기다리다 미팅도 한번 못 해보고 좋은 시절
        다 까먹을까 봐.

해주   (슬쩍 뾰족) 그런 거 필요 없어. 너나 많이 해.

친구1   팔은 안으로 굽는다고, 내 친구 속 끓게 하는 (해주) 남친
        좀 얄미워서…. (하는데)

해주   (OL) 니가 왜 남의 남친을 두고 그러는데?

친구1   (괜히 건드렸다 싶고) 알았다 알았어. 내가 잘못했어, 미
        안해.

해주   (뚱)

친구2   그만들 하시고 얼른 가자!

해주와 친구1·2, 바쁘게 걷는데, 해주의 핸드폰 벨 울린다.
해주, 발신자 확인하고 친구들에게 "먼저 가 있어. 금방 갈게" 말하면
친구1·2, 알겠다며 먼저 앞서간다.

해주   (받는 / 반색) 응 오빠. 오늘 몇 시에 와?

남친(F)   그게….

해주   (설마··) 오늘도 못 와?

남친(F)   미안해. 다음ㅈ…. (하는데)

해주   (OL) 우리 말야, 시간 좀 갖자.

남친(F)   …혹시, 헤어지고 싶, 어?

해주   (이 말을 기다린 거야‥? 눈물 왈칵) 그걸 왜 나한테 물어? 헤어지고 싶은 거, 내가 확실해? 너 때문에 지금 무슨 말까지 듣는 줄 알아?! 너 권태기 아니냐고, 권태 있는 남친 못 놓고 있는 미련한 애 취급받아. 알아?!

남친(F)   (얕은 한숨) 그런 걸 왜 신경 써. 내가 아닌데.

해주   그런 건지 아닌지 내가 알 게 뭐야. 지금 하는 거 보면 딱 그런데! 이럴 거면 그냥 진짜 헤어지던가!

남친(F)   내 꿈, 너도 지지해주는 줄 알았어. 너 이렇게 힘들 줄 몰랐어.

해주   진짜 비겁하다. 꿈 핑계 대면서 이러면 내가 뭐라고 해? 왜 나만 나쁜 사람 만드는데? 오빠 꿈, 응원해. 근데 나 언제까지 응원만 해? 나 언제까지 기다려야 하는 건데? 누군가를 응원하고 기다리기엔, 내가 아직 너무 어려…. 그건 아니?

해주, 그대로 주저앉아 울음 터뜨린다.

다시 현재 »

해주, 커플 사진 말간 눈으로 보고 있다.

해주(N)   그때 나는 이별을 선택했다. 옹송그리는 사랑에 지쳐서. 더는 할 수가 없어서.

해주, 다이어리 한 장 넘긴다. 팔락- 커플 사진이 그대로 넘어가고. '이별 후에 오는 것들', '할 수 있다!', '슈퍼파워! 포기하지 말고 아자아자!' 등 해주의 글씨 보인다.

해주(N)　찾아오는 만남은 설렜고, 떠나가는 이별은 아팠다. 그럼에도 사랑. 그 무수한 만남과 이별이 오갔을 무렵, 알게 됐다. 회자정리의 모든 행위는 그 자체로 흔적을 남긴다는 것. 시작이 어쨌든, 끝이 어쨌든, 사랑을 했다는 것.

▶ 에필로그

S#3.　해주의 작업실 (낮)

책상 앞. 노트북으로 로맨스 영화 보고 있는 해주. 노트북 화면에 톡메시지 알림 뜬다. 해주, 영화 일시 정지하고 클릭해서 확인한다.

희진　[나 오늘 소개팅해!]

해주　[잘 만나봐.]

희진　[두고 봐! 더 센 운명을 만날 테니까.]

해주　[3개월짜리 말고 300년의 사랑 같은 거. 죽어서도 난 너야- 뭐 이런 거.]

희진　[죽어서까지는 좀 징그럽잖이! 아무튼 이번엔 진짜 내 싹쌍을 만날 거 같애. 꺅-]

해주, 톡대화창에 파이팅! 응원 이모티콘 보낸다.

해주(N)　　희진의 이별 시간이 흐른 지 2주 남짓. 소개팅을 한다
　　　　　며 한껏 들뜬 친구는 힘을 내서 New Destiny를 찾는다고
　　　　　했다.

해주, 다시 영화 플레이하고 집중한다.

해주(N)　　그래, 언젠가 최고 시청률을 찍은 어떤 드라마에서는 주
　　　　　인공 남자가 부메랑을 던지며 이런 말을 했었지.
　　　　　"사랑은! 돌아오는 거야!!"

가끔은 불필요한

다정에게

▶ 이야기의 배경

해주는 출근길에 들르는 단골 카페가 있다. 단골이라 카페 직원들과도 안부를 물을 정도로 친근한 사이가 됐다. 그렇게 1년. 해주는 카페 매니저 승민에게 편지 한 통을 받게 된다.

S#1. 거리 일각 (낮)

해주, 노트북 들고 걷고 있다.

해주   (핸드폰 시계 확인하며 / 이크!) 커피 사는 데 3분이니까··
           뛰자!

해주, 노트북 들고 전력 질주한다.

S#2. 카페 앞 + 카페 안 (낮)

해주, 카페 안으로 미친 듯이 뛰어 들어간다.

해주   (카운터 앞에 헉헉·· 숨 몰아쉬며 선다)
승민   따뜻한 아메리카노에 샷 추가 맞으시죠?
해주   (헉헉대며 빠르게 끄덕끄덕 / 카드 내민다)
승민   (결제하며 / 피식) 엄청 뛰셨나 보네요. (카드 해주에게)
해주   (받으며) 늦잠, 자서요···.
승민   빨리 해드릴게요! (돌아서) 아! 오늘 원두 좀 다른 거 들어
           왔는데, 드셔보실래요?
해주   (숨 고르느라 고개만 두어 번 끄덕인다)

시간 경과»

해주 앞으로 주문한 커피 나온다.

해주   고맙습니다! (커피 향 맡고 눈 감은 채 음~) 향 너무 좋다. 몸
       이 깬다! (눈 뜨고 커피 한 모금 마신다 / 엄지척 제스처)
승민   (피식- 왠지 기분 좋고) 근데 늦으셨다고….
해주   (이크! 커피나 감상할 때냐)
승민   그럼 오늘도 파이팅하세요!
해주   (파이팅! 제스처 / 서둘러 나가는)

S#3.   몽타주

1. 카페 앞 (저녁)

해주, 퇴근하면서 카페 앞 지나는데 승민, 마스크 낀 채 "콜록콜록" 기
침하며 카페 창문 닦고 있다.

해주   감기 걸리셨나 봐요.
승민   (돌아본다) 네, 요즘 환절기라 그런 거 같아요. (해주 뒤로 한
       걸음 물러서며) 감기 조심하세요.
해주   (픽) 전염병 걸린 것도 아닌데 뭘 그렇게까지.
승민   그래도 괜히 감기 옮으면 안 되니까요. (콜록콜록)
해주   (독하게 걸렸구나·· 뭔가 생각났다) 아! (가방에서 사과즙 꺼낸다)

이거 드세요!

승민   (사과즙 빤히 / 뭔가 뭉클하고 / 받는) 고맙습니다.

해주   감기에는 무조건 잘 먹고 잘 자고 잘 싸ㄴ…. (멈칫- 내가
       지금 뭔 소릴…)

승민   (큭, 웃다가 큼큼 웃음 참는)

해주   마저 웃으셔도 돼요. (민망하고 어색한 웃음)

승민   (웃던 거 정리하며) 다 웃었어요. (사과즙 까서 마스크 내리고 바
       로 먹는다)

2. 카페 안 (낮)

해주, 카운터에서 커피 주문한다.

승민   오늘 샷 추가는 서비스 드릴게요.

해주   (손사래) 아니에요! 내 돈만큼 남의 돈도 소중한 거랬어
       요. 우리 할머니가요.

승민   그럼, 저번에 사과즙값이라고 해두죠. (싱긋)

해주   (기분 좋고 / 끄덕)

승민   (피식)

해주, 기분 좋게 커피 기다린다.

해주(N)   출근길에 매일 들르던 카페가 있다. 삭막하고 각박하기만

한 요즘 사회에서 '단골'이 된, 작은 기쁨을 주던 공간이다.

S#4.   방송 제작사 (낮)

아이스아메리카노 옆에 놓인 편지 말끄러미 보고 있는 해주.

해주(N)   커피 맛도 좋고 일하는 사람들도 친절하고.

플래시컷 »

환하게 웃는 승민의 얼굴.

다시 현재 »

해주, 얕은 한숨 뱉는다.

해주(N)   그렇게 1년쯤 다니다 보니 자연스럽게 매니저 남자와도
          안부를 물을 정도의 사이가 됐는데.

커피 마시려다 다시 내려놓는 해주, '이런 거 정말 싫은데·· 골치야··'
관자놀이 꾹 누른다.

해주(N)   아… 이게 미스였다.

인서트 »

카페. (낮)

2시간 전. 해주, 카페 안 한쪽에 진열된 머그잔들 구경하고 있다. 손에 들린 진동벨 위이잉 울리는. 해주, 진동벨 들고 음료 픽업대 쪽으로-

해주   (진동벨 승민 쪽으로 주고 커피 받으며) 고맙습니다.

해주, 인사하고 돌아서는데- 승민, 다급히 해주 불러 세운다.

승민   저기!

해주   (돌아보며) 네?

승민   (망설망설) 그게….

해주   (?)

승민   (앞치마 주머니에 손 넣고 망설이다가 주저주저하며 편지 꺼낸다 / 눈 질끈 감고 픽업대에 편지 내민다) 이거, 요.

해주   (! / 왜 이런 걸 주는 거니‥ 사람 불안하게‥)

승민   (민망하고 머쓱하다) 나중에, 그러니까, 시간 되실 때 보세 요! (후다닥 스태프 룸으로 간다)

다시 현재 »

해주   (하아‥ 한숨 쉬며 의자 뒤로 고개 젖힌다)

옆에 앉은 후배 작가, 해주 힐끔 본다.

후배   왜요 언니? 섭외 잘 안 돼요?

해주   (고개 젖힌 채) 아니.

후배   아이템 빵꾸 났어요?

해주   (자세 여전히) 생각만 해도 심장 아프다.

후배   그럼 무슨 고민 있어요?

해주   (퍼뜩 몸 일으키며) 내가 왜 그 생각을 못 했지?

후배   (갸우뚱)

해주   (눈 반짝이며 편지 내미는) 이거, 니가 읽을래?

후배   (편지 보며) 이게, 뭔데요?

해주   이게 말이다‥ 그러니까‥ 음‥ 이게 그러니까‥. (뭐라 하지‥?)

후배   언니 이거 혹시‥ 고백 뭐 그런 거?

해주   (예리한‥) 그런 거 같아서, 안 읽을까 봐.

후배   왜요?

해주   불편해지잖아. 이거 읽고 나면 어느 쪽이든 답을 해줘야 할 텐데.

후배   (상대가) 영- 별로예요?

해주   좋은 사람인데….

후배   (좋은 사람) 그런데요?

해주   그냥, 나는 지금이 딱 좋아.

후배	(해주 옆으로 슬쩍 붙으며 조용히) 언니 이런 걸 두고 뭐라는
	지 아세요?
해주	(?)
후배	호강에 겨워 김밥 옆구리 터지는 소리요.
해주	(누르며) 야.
후배	(찔끔했다가 / 두 손 모으고) 세상에나 마상에나~ 요즘 세상
	에 손으로 쓴 편지라니. 누군지 몰라도 너~무 스윗하다.
해주	(스윗은 개뿔… 내 커피가 날아가게 생겼는데‥)

후배, 아리송한 얼굴로 해주 본다.

▶ 에필로그

S#5.　해주의 작업실 (밤)

책상 앞에 앉아 있는 해주, '이걸 읽어, 말아‥' 골몰히 편지 내려다보고
있다.

해주	일단 확인!

해주, 호기롭게 편지 펼쳐서 읽기 시작한다. 편지 읽어 내려갈수록 해
주 얼굴 하얗게 질리기 시작하더니 다 읽고 나서 투- 손 떨군다.

해주(N)　예감 적중. 고백 편지다. 아무래도 내일부터 그 카페에 가는 일은 없겠지. 젠장·· 그 집, 커피 맛집이었는데… 아까워라.

S#6.　빌딩 일각 + 카페 앞 (낮)

해주, 빌딩 일각에 몸 숨기고 카페 안 동태 살피고 있다. 유리문 안쪽 슬쩍 들어다보는 해주. 그때 승민 모습 보이고. 해주, 황급히 유리문 뒤로 몸 바짝 붙인다. '하아·· 나 지금 뭐 하냐··'
승민, 스태프 룸으로 들어가는 거 보이면. 해주, 재빨리 카페 앞 가로질러 빌딩 안으로 들어간다.

해주(N)　가끔은 불필요한 다정이, 나의 일상을 불편하게 할 수도 있다는 큰 교훈만을 남긴 채·· 나는 애정하던 단골 카페를 잃었다.

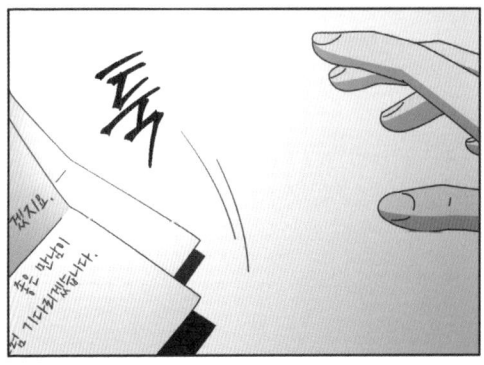

에세이를 드라마로?

처음에 이 책의 기획을 제안받았을 때는 좀 어렵지 않을까 생각했다. 이미 수많은 작가들의 여러 좋은 에세이가 독자들에게 사랑받고 있는데, 이런 형태가 정말 괜찮을까? 의문이 들었던 거다. 그리고 또 한 가지 과제는 나의 이야기를 스스로 각색해서 스토리로 내놓아야 한다는 것.

쉽지 않은 작업이었다. 있는 그대로의 스토리도 문장으로 만드는 게 여간 힘든 게 아닌데, 드라마라니. 더군다나 요즘 OTT 플랫폼이나 TV 프로그램에서 스토리 짱짱하고 재미있는 드라마들이 얼마나 많은데… 걱정이 태산이었다.

걱정과 고민 속에 하루, 이틀, 일주일… 보름쯤 지났을 때 이런 생각이 들었다. 어쩌면 이번 작업이 나에게 특별한 선물이 될지도 모른다고. 그러니까 미리 겁부터 집어먹지 말고 일단 해보자고. 그렇게 초고 작업이 시작됐다.

인생 책장을 덮으며

쓰다 보니, 대수롭지 않게 넘기고 별거 아니게 스쳤던 나의 모든 순간들이 예쁘게 보였다. 그 순간들을 잘 기록해두고 싶었다. 잊히지 않도록. 잊고 싶던 아픈 순간도, 나쁜 기억도, 행복하고 좋은 추억도 모두. 향이 짙거나 화려하지 않은, 길가에 소담하게 핀 들꽃 같은 이야기들로 채워졌다. 소소하고 대수롭지 않은 나의 일상들이 드라마가 됐다.

힘들 때도 꺼내보고, 좋아도 꺼내보고. 파이팅 넘치게 펼쳤다가, 쉬고 싶은 땐 잠깐 접어두기도 하고. 지난 시절들을 내내 다시 들여다보고 싶은 따뜻한 이야기가 되기를, 오래오래 책장에 꽂아두고 소장하고픈 그런 애틋한 페이퍼가 되길 바라며.

누군가의 드라마에서는 조연일지라도, 내 인생의 드라마 속 주인공은 나다.

무오리 해주 인서울 완성판

2023년 12월 01일 초판 01쇄 인쇄
2023년 12월 12일 초판 01쇄 발행

지은이 장해주

발행인 이규상 편집인 임현숙
편집팀장 김은영 책임편집 이은영 책임마케팅 이채영
기획편집팀 문지연 강정민 정윤정
마케팅팀 이순복 강소희 이채영 김희진
디자인팀 최희민 두형주 회계팀 김하나

펴낸곳 (주)백도씨
출판등록 제2012-000170호(2007년 6월 22일)
주소 03044 서울시 종로구 효자로7길 23, 3층(통의동 7-33)
전화 02 3443 0311(편집) 02 3012 0117(마케팅) 팩스 02 3012 3010
이메일 book@100doci.com(편집·원고 투고) valva@100doci.com(유통·사업 제휴)
포스트 post.naver.com/h_bird 블로그 blog.naver.com/h_bird 인스타그램 @100doci

—
ISBN 978-89-6833-459-7 04680
ⓒ 장해주, 2023, Printed in Korea